D1358859

LES GRANDES INTERROGATIONS
MORALES
BERTRAND VERGELY

RICHMOND HILL
PUBLIC LIBRARY

SEP 2 9 2014

CENTRAL LIBRARY
905-884-9288

BOOK SOLD
NO LONGER R.H.P.L.
PROPERTY

LES ESSENTIELS MILAN

Sommaire

Les mots suivis d'un astérisque (*) sont expliqués dans le glossaire.

Il était une fois la vie bonne !

On peut chercher à comprendre la vie ainsi que le monde en se demandant d'où vient la vie et où elle va, ce qu'est le monde et comment le connaître. Pour nécessaires et passionnantes que soient ces questions, elles ne sont cependant pas suffisantes. Car, que veut dire comprendre la vie et le monde ? A-t-il vraiment compris la vie celui que sa compréhension de la vie n'a pas aidé à vivre ? Non. Pour avoir compris quelque chose de la vie, il faut vivre ce que l'on a compris. Et donc vivre.

La vie, la pratique doivent guider notre compréhension des choses. La compréhension, la théorie ne doivent pas tenir lieu de vie.

Au cours de l'Antiquité les premiers philosophes n'ont cessé de rappeler cette vérité. C'est la raison pour laquelle ils ont fait de la morale le cœur de toute sagesse. La vraie science est la science de la vie et non pas simplement la vie de la science. Mais comment vivre ? Qu'est-ce que bien vivre ? Faut-il vivre conformément à la nature, aux autres, à soi ? En admettant qu'il faille vivre conformément à soi d'une façon réfléchie, que veulent dire « avoir des principes », « être responsable », « respecter autrui », « maîtriser ses passions » ? Que signifient le courage, la prudence ou la fidélité ?

C'est à toutes ces questions que cet ouvrage voudrait non pas répondre, mais introduire le lecteur, notamment à travers quelques rappels nécessaires concernant les fondements de la morale ainsi que nos rapports avec les passions et les vertus. Et ce, afin de souligner que la morale est vraiment notre bien le plus précieux, en nous ouvrant les voies menant à la pratique de « la vie bonne ».

Mais qu'appelez-vous morale ?

Il y a des valeurs que l'on ne peut relativiser.

Ou bien il n'y a plus de valeurs. Et c'est la morale qui nous le rappelle.

La morale : un terme qui ne va pas de soi

La morale* est bien souvent au centre de nos discussions. Elle l'est tellement qu'il n'est pas rare, au cours d'une conversation, d'entendre quelqu'un s'écrier : « *Mais qu'appelez-vous morale ?* » Y a-t-il en matière de morale une règle qui vaille absolument ? Montesquieu (1689-1755), le premier, a posé la question. A-t-on la même morale dans les pays froids et dans les pays chauds, dans les pays riches et dans les pays pauvres, dans les pays en guerre et dans les pays en paix ? La réalité tend à démontrer que non.

Ce qui vaut ici ne vaut pas là-bas. Ce qui vaut en un temps ne vaut pas en un autre. Ne convient-il pas, dès lors, d'en tirer les conséquences ?

ET POURQUOI MA MORALE NE SERAIT-ELLE PAS RELATIVISTE ?

Théoriquement d'abord, si tout est relatif en matière de morale, n'est-ce pas la démonstration que la morale commence avec ce qui convient à un groupe d'hommes à un moment donné, dans des conditions données, puis qu'elle devient une habitude admise avant que cette habitude se mette non pas simplement à suivre ce qui se fait, mais à commander ce qui doit se faire ? Pratiquement ensuite, quand tout devient relatif, n'évite-t-on pas d'être intolérant et hypocrite ?

Il n'est pas rare de voir certains prendre ce qui est bon pour eux pour une valeur universelle, tout en ne supportant pas que d'autres fassent la même chose. Ce qui n'est pas équitable. Si donc on relativisait

fondements   rappels   questions

davantage la morale ne serions-nous pas davantage moraux? Malgré les apparences, non.

Le relativisme : une morale qui ne va pas de soi

Réfléchissons en effet. Tout n'est pas relativisable. Quand on parle de relativiser la morale afin de respecter autrui ainsi que d'être honnête, n'est-ce pas parce que l'on considère que les valeurs du respect* et de l'honnêteté ont une valeur en soi? Si quelqu'un venait nous dire que le respect humain et l'honnêteté sont des valeurs relatives relevant de l'humeur de chacun en fonction des circonstances, ne lui dirions-nous pas qu'il se trompe? Il n'est donc pas intolérant de considérer qu'il y a un absolu moral, comme il n'est pas malhonnête de penser que ce qui est bon pour nous l'est pour les autres.

Au contraire. C'est parce que tout ne peut être relativisé qu'il est possible de lutter contre la violence, la lutte avec la violence impliquant de ne pas tout se permettre.

C'est aussi parce qu'il est généreux de traiter les autres comme on se traite soi-même que le respect et la dignité* font des progrès. Il n'est donc pas juste de dire que la morale est une règle que l'on s'invente. La morale est bien davantage une règle qui nous invente. Et ce, parce qu'elle diffère des mœurs. Si les mœurs relèvent d'habitudes que nous contractons au gré de ce qui nous convient, le fait de régler nos mœurs ne provient pas d'une habitude, mais d'une exigence. La vie a besoin de quelque chose de supérieur. Ou bien elle n'est plus la vie. En 1914, Franz Rosenzweig (1886-1929), l'un des plus grands penseurs du judaïsme moderne, a indiqué que la morale relève d'un «*fait proprement extraordinaire*». L'homme passe l'homme, disait Pascal (1623-1662). Aussi cherche-t-il à être conforme à ce qui le dépasse. La vie humaine a une dignité. On ne saurait ni la meurtrir ni la violer. Être moral, c'est l'avoir compris. C'est vivre humainement de la façon la plus haute et la plus noble qui soit.

> «*L'être passe avant le bien-être et avant les manières d'être. On peut hésiter sur les moyens et sur le comment, mais non sur la nature de l'être lui-même. Répondre oui au oui et non au non, non à la mort et au non-être, confirmer l'être de l'être [...] telle est la vocation la plus générale de l'éthique. L'éthique va dans le sens de l'être et en affirme la valeur qui est aussi inconditionnelle qu'indémontrable.*»
> Vladimir Jankélévitch,
> *Le Traité des vertus.*

> Les hommes cherchent à vivre d'une façon plus haute, plus digne. Aussi cherchent-ils à vivre moralement, en relativisant parfois la morale. Pour le bien de la morale.

Et si on parlait plutôt d'éthique ?

On préfère aujourd'hui l'éthique à la morale, en trouvant l'éthique plus humaine, plus proche de la vie, moins directive que la morale. Il n'est pas sûr que l'on ait raison.

⌐Toute morale a besoin d'une éthique !

Lorsque aujourd'hui on prononce le terme de morale*, il n'est pas rare de voir se dessiner des réticences. La morale n'est-elle pas lourde d'un passé qui fait peur ? Quand on fait, comme on dit couramment, « la morale » à quelqu'un, c'est souvent pour le juger et pour le condamner en disant : « *C'est comme ça et pas autrement !* » En outre, comment passer sous silence que la morale a souvent été revendiquée par les régimes les plus conservateurs qui soient. On aimerait que la morale soit créatrice et qu'elle inspire une vie que l'on puisse inventer. Souvent elle est sombre et débouche sur une vie que l'on réprime. Aussi comprend-on que, très tôt, des doctrines morales se sont dressées, afin que l'on parle davantage d'éthique* que de morale. L'éthique, comme son nom l'indique, vient du terme grec *ethos* qui signifie « comportement ». En signifiant la quête d'une attitude, l'éthique sous-entend que l'on recherche dans la vie la bonne attitude conforme à sa vie. Ce qui implique trois choses. D'abord de partir de ce que l'on est, à savoir un être de désir*, charnel, avec un corps* et des besoins. Ensuite de réfléchir sur ce que l'on connaît, afin de se connaître et de connaître le monde dans lequel on vit. Enfin d'accomplir ce que l'on est, en ayant pris conscience* de ce que l'on est. « *Deviens ce que tu es !* » trouve-t-on sous la plume de Nietzsche (1844-1900). Cette devise caractérise l'éthique. Il y a là beaucoup de sagesse*. Ne cherche-t-on pas trop à vivre selon de grandes idées ou de grands principes, en oubliant de vivre ? Et si c'était le fait de vivre et de vivre bien qui donne sens et vie

« Nous appellerons donc morale, le discours normatif qui oppose le Bien au Mal. La morale, qui se rapporte à l'ensemble de nos devoirs, répond à la question : "Que dois-je faire ?" Elle se veut universelle. Elle tend vers la vertu et culmine dans la sainteté. Nous appellerons éthique, tout discours normatif qui oppose le bon et le mauvais, pris comme valeurs relatives. L'éthique est l'ensemble réfléchi de nos désirs. Elle répond à la question : "Comment vivre ?" Elle est toujours particulière à un individu ou à un groupe. C'est un art de vivre, qui tend vers le bonheur et culmine dans la sagesse. » André Comte-Sponville, *Valeur et Vérité*.

fondements | rappels | questions

à un principe et non tel ou tel principe qui donne sens à la vie? Le matérialisme philosophique qui ramène tout à la vie présente l'a pensé. Aujourd'hui on le pense. Aussi y a-t-il des comités d'éthique qui se forment afin de déterminer quelle peut être la meilleure façon de vivre ici et maintenant compte tenu de ce que nous savons et de ce que nous pensons. Ce qui n'est pas sans poser un certain nombre de questions.

Toute éthique a besoin d'une morale

Est-il sûr en effet que nous puissions penser sans principes? Quand nous exigeons de vivre, n'exigeons-nous pas la vie en plaçant la vie comme principe à l'origine de notre vie? La vie a du sens, parce que le principe de la vie en a. Il convient dès lors d'en tirer les conséquences. L'homme est un corps. Il est un désir. Il aspire au bonheur*. Et il y parvient lorsqu'il fait ce qu'il faut, conformément à lui-même. Mais ne faut-il pas faire une vertu* du corps, du désir comme du bonheur, pour que ceux-ci existent de la façon la plus matérielle qui soit? On pense souvent que la morale qui parle de volonté*, de principe et de vertu est extérieure à la vie. Mais n'est-ce pas parce qu'il y a quelque chose au-dessus de la vie que la vie s'élève? Ne faut-il pas vouloir la vie et la choisir pour simplement pouvoir en éprouver le désir? On pense qu'il suffit de vivre pour vivre heureux. Sauf que vivre ainsi, c'est tout sauf se laisser vivre. Il faut avoir choisi de vivre pour connaître la douceur de la vie qui s'écoule. Il faut avoir voulu ce que l'on désire pour pouvoir le désirer. Aussi l'éthique de la vie bonne a-t-elle besoin d'une morale pour se guider. Il faut devenir ce que l'on est. Certes, mais pour être ainsi conforme à soi, encore faut-il se faire un devoir* d'être soi. Ce que l'on fait en érigeant ce qui est bon en principe et non pas seulement en ramenant tout principe à ce qui est bon.

JE NE VOUS FAIS PAS LA MORALE.
JE VOUS FAIS L'ÉTHIQUE.
J'AIME MIEUX ÇA.

Il faut bien vivre, comme nous enseigne à le faire l'éthique. Mais pour bien vivre, encore faut-il ériger le bonheur en vertu, ce que nous apprend la morale, avec son sens de la vertu.

Naît-on moral ?

On dit souvent qu'il est naturel d'être moral. Il n'est pas sûr que la morale soit un fait de nature.

Les équivoques de la « bonne nature »

Lorsque quelqu'un agit avec générosité et qu'on le loue pour cela, il n'est pas rare de l'entendre dire : « *C'est naturel. À ma place, vous auriez fait la même chose.* » Lorsque, à l'inverse, quelqu'un fait quelque chose de choquant, la remarque est : « *C'est contre nature.* » Presque spontanément, nous associons morale* et nature. Mais a-t-on raison de le faire ? Si l'on est généreux par nature, c'est que l'on n'a aucun mérite à cela. Pourquoi dès lors louer le généreux ? « *Il est né généreux* », devrait-on dire. « *C'est sa nature. C'était son destin d'être généreux.* » Félicite-t-on quelqu'un d'avoir les cheveux blonds ? De même, il faudrait être logique et ne pas se récrier face à un acte contre nature. Car, si la morale est naturelle, l'immoralité l'est aussi. Quelqu'un est-il avare ? C'est sa nature, devrait-on dire. D'ailleurs, les avares ne s'en privent pas. Ni les voleurs. Quand on leur reproche de faire ce qu'ils font, ils invoquent la nature pour dire qu'ils agissent ainsi parce qu'ils sont ce qu'ils sont. On le voit donc, traiter la morale en termes de nature est plus qu'ambigu, puisque cela revient à donner trop peu aux uns en leur enlevant tout mérite et trop aux autres en les déchargeant de toute responsabilité*. Au cours du XVIIIe siècle, cette question de la nature de la morale a conduit Kant* (1724-1804) à critiquer Rousseau (1712-1778). Si l'on ne saurait dire que l'homme est méchant par nature, ainsi que l'a fait

APRÈS CE COUP, JE DEVIENS MORAL ET JE RENAIS À LA VIE.

fondements · rappels · questions

Hobbes (1588-1679), tant cela conduit à fournir une excuse facile à la violence, on ne saurait non plus dire que l'homme est bon par nature, comme l'a fait Rousseau, tant cela enlève du mérite à sa bonté*. Aujourd'hui, cette critique de Kant demeure pertinente. Il est dangereux de parler de la nature mauvaise de l'homme et de vouloir, par exemple, rechercher l'origine biologique du mal*. Quand un nazi nous explique qu'il est un nazi en vertu de sa constitution génétique, nous voyons là, à juste titre, une excuse facile. Méfions-nous donc d'expliquer le mal par la génétique, comme le faisaient les nazis pour le racisme. De même, il est dangereux de dire que les hommes n'ont aucun mérite à être généreux. Ceux qui défendent cette thèse le font dans un souci égalitaire, afin de ne pas créer de classes dans la société. Mais s'ils défendent l'égalité, n'est-ce pas qu'ils ont choisi de le faire ?

De la nature à la vocation

C'est donc Kant qui a raison face à Hobbes comme face à Rousseau. L'homme n'est ni bon ni méchant par nature. Car la morale n'est pas une question de nature. On ne naît pas moral en vertu d'un destin ou d'un programme génétique. On le devient en vertu d'un engagement. Plus qu'une nature donnée au départ, la morale est une vocation qui appelle les hommes afin qu'ils aient un avenir. En ce sens, nous parlons de nature en ce qui concerne la morale afin de mieux parler de ce qui constitue la vocation de l'humanité. L'homme a pour nature, non pas de rester dans la nature, mais de quitter celle-ci afin d'avoir un avenir et une vocation. En ce sens, la morale est sa nature parce qu'elle doit le devenir. Et ce, parce qu'il lui faut naître deux fois pour être véritablement homme. D'abord comme être biologique. Ensuite comme être doué de conscience* et d'esprit. C'est pour cela que Socrate (470-399 av. J.-C.) s'est fait « *l'accoucheur des âmes* ». Pour faire naître les hommes une deuxième fois, dans la profondeur de leur propre conscience.

« *Le devoir assurément est à venir, étant la chose à faire et, en opposition avec le futur du donné, l'idéal à accomplir ; le devoir être n'EST pas, du moment qu'il SERA ; le futur sera par la futurition [le devenir] des possibles, qui fait devenir le pas-encore, vieillir le vivant et arriver l'ultérieur ; le devenir fait spontanément advenir l'avenir. Le futur aura un demain. Pas nécessairement celui que nous attendons. Aussi pour cela faut-il attendre. En toute confiance. Mais aussi y mettre du nôtre, en retardant ou en infléchissant les choses. Cela s'appelle collaborer, non pas avec le destin, mais avec la destinée.* »
Vladimir Jankélévitch,
Le Traité des vertus.

> Les hommes ne sont pas moraux par nature. Mais ils ont pour vocation de devenir moraux. Naître à la vie morale, c'est naître une deuxième fois.

Choisit-on d'être moral ?

La morale est une affaire d'engagement. Il faut choisir. Mais il n'est pas sûr que l'on puisse choisir ce que l'on veut. Ou bien alors le choix n'a plus de sens.

« Le pouvoir de contester les certitudes est le propre du philosophe. Si la science nous aide à prendre conscience du donné, la philosophie est la conscience de la science, et la morale la conscience de cette conscience. La morale commence ainsi par contester cette évidence qu'est le plaisir*. Car, affirmer la valeur du plaisir comme donnée, n'est-ce pas, sans y prendre garde, inoculer au fait quelque chose d'idéal ? N'est-ce pas reconnaître que la nature n'est pas le seul bien au monde ? Si la naturalité a une "valeur" c'est sans doute qu'elle est déjà surnaturelle. »
Vladimir Jankélévitch,
La Mauvaise Conscience.

Un libre choix pas aussi libre que cela

Tout le mérite d'une action morale provient du fait que l'on choisit d'être moral et non du fait que l'on naît moral. Il n'est donc pas très moral de dire à quelqu'un qu'il est moral, parce que telle est sa nature. Cela revient à dire, tout simplement, qu'il n'a aucun mérite à cela, puisqu'il est fait ainsi. Faut-il en conclure, pour autant, que toute morale* n'est qu'une affaire de choix* ? Et donc que toute morale n'est qu'une affaire individuelle ? Aussi paradoxal que cela puisse paraître, ce n'est pas parce que la morale est un acte individuel qu'elle n'est qu'un acte individuel. Nuance qu'il convient de comprendre. Dire en effet que la morale n'est qu'un acte individuel conduit à dire que l'individu est libre de choisir sa morale. Inévitablement, quand on se met à réfléchir ainsi, on finit par conclure que l'individu est libre de faire ce qui lui plaît et de choisir la morale qu'il veut. Ce qui est le contraire de toute morale comme de toute liberté. Car, l'expérience le montre, quand on fait ce qui nous plaît, on obéit à ses désirs* plus qu'on ne les guide. On suit sa pente naturelle. On fait donc ce que la nature ou l'éducation ont imprimé en nous. Tous les hommes, notait Spinoza (1632-1677), ont tendance à croire qu'ils sont libres, alors qu'ils ne le sont pas. Cela conduit à vivre dans un conformisme inconscient*, dont les pouvoirs politiques ou économiques savent profiter. Ainsi, aujourd'hui, dans le monde contemporain, tout le monde a tendance à vouloir être lui-même. Résultat, tout le monde est semblable, en voulant être lui-même. En flattant l'individualisme de chacun, on est sûr de fabriquer de l'ordre. Un ordre

fondements rappels question

conformiste et égoïste. L'ordre du chacun pour soi. Cet ordre statique ne remet rien en cause. Il ne fait rien bouger. On ne peut donc souscrire au slogan : « À chacun sa morale ! » Car, sous prétexte de respecter l'individu, en fait, il fait le jeu d'un monde replié sur lui-même, dans lequel tout le monde est uniformément égoïste. Aussi faut-il cesser de ne voir dans la morale qu'un acte individuel. Et pour cela, il faut revenir sur le choix.

Ce que choisir veut dire

Choisir en effet, ce n'est pas choisir de faire ce qui nous plaît, mais choisir en profondeur de choisir, c'est-à-dire être responsable*. Donc, ne pas laisser les événements extérieurs décider pour nous sur le mode de la chance, par exemple. Ni, non plus, laisser nos humeurs prendre le dessus. C'est vouloir guider sa vie, plutôt que de se laisser guider par elle. Dans un choix véritable, autrement dit, on n'a pas le choix, choisir consistant à renverser le cours des événements en faisant surgir la personne* que l'on est dans le cours impersonnel des choses. On n'a pas le choix, car il s'agit d'être sérieux et de choisir à partir du sérieux, au lieu de choisir entre le sérieux et autre chose. C'est en ce sens qu'un choix est un vrai choix et que l'on dit avec admiration de quelqu'un : « Voilà quelqu'un qui a choisi. » Le choix véritable est un engagement et non une préférence. Il choisit non pas de faire ce qui lui plaît, mais ce qui est important. On est dans la vie (la vie biologique), cela ne se choisit pas, en revanche, dans la vie (la vie personnelle) on peut se décider à vivre. Cela se choisit. Toute la grandeur* du choix réside dans le fait de choisir de donner de l'être à sa vie en choisissant l'être même de la vie, qui réside dans le caractère sérieux, vital, fondamental de celle-ci, qui se découvre, mais ne s'invente pas.

> Choisir, c'est avoir compris que la vie est un engagement dans la vie, et non le fait de faire ce qui nous plaît en obéissant à nos caprices.

A-t-on la morale de son milieu ?

Toute morale s'enracine dans un cadre social. Mais elle n'est pas qu'une simple émanation de la vie d'un groupe.

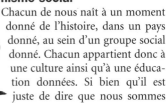

QUE JE T'Y REPRENNE À ÊTRE HONNÊTE !

PAS DE ÇA CHEZ NOUS !

Conformisme moral et conformisme social

Chacun de nous naît à un moment donné de l'histoire, dans un pays donné, au sein d'un groupe social donné. Chacun appartient donc à une culture ainsi qu'à une éducation données. Si bien qu'il est juste de dire que nous sommes marqués par notre éducation. Ainsi, certains sociologues en ont conclu que la morale* est un fait social. Héritière des habitudes socialement admises, la morale consisterait à reproduire ce qui est socialement admis, afin de veiller à la reproduction du lien social, en veillant à intégrer les membres d'un groupe selon certains critères. Que la morale puisse jouer ce rôle, qui pourrait le nier ? Être, comme on dit, « bien comme il faut » et savoir le montrer font partie du jeu social. Cela permet de faire partie de ce que l'on appelle, avec une légère ironie, « les gens bien ». Mais est-ce là le sens de la morale ? Peut-on réduire la morale à l'usage social de la morale ? Peut-on surtout faire de la morale l'incarnation du conformisme social en vigueur dans un groupe ? Quand il arrive à certains sociologues de le soutenir, ceux-ci le font au nom d'une morale. Afin de relativiser le conformisme en vigueur. Si la sociologie n'était que l'émanation d'un conformisme, pourrait-elle ainsi bousculer le conformisme ? Ne faut-il pas être libre pour pouvoir critiquer la société et ses codes ?

Liberté morale et liberté sociale

Revenons sur l'explication sociale de la morale. Pourquoi les sociologues nous montrent-ils que la

fondements | rappels | questions

morale obéit à un conformisme social sinon parce qu'ils constatent que la morale ne joue pas son rôle ? Pourquoi critiquent-ils le conformisme de l'obéissance aux normes, sinon parce qu'ils pensent qu'une morale libre et authentique serait meilleure ? Les sociologues ont une morale. Et c'est parce qu'ils ont cette morale qu'ils font preuve d'une conscience* critique à l'égard des usages bien trop conformistes et bien trop sociaux de la morale. Toute morale n'est donc pas conformiste comme le montre la critique du conformisme. La morale est d'ailleurs si peu un conformisme que la vraie morale choque toujours, alors que l'absence de morale arrange, en revanche, le conformisme. Ainsi, dans un monde divisé en races et en classes, dire qu'un homme est un homme, quelle que soit sa race ou sa classe, bouscule un certain nombre de préjugés. Pour classer quelqu'un, on a tendance à le rabattre sur son milieu culturel ou social. Pour se défendre, à l'inverse, on a tendance à se retrancher derrière son milieu social ou culturel. Ainsi, un homme pourra paraître bon en vertu de son milieu culturel ou de sa classe sociale et mauvais pour les mêmes raisons. Comment ne pas voir que c'est en résistant à ce type d'attitude que la morale fait des progrès et que c'est en cédant à sa tentation qu'elle régresse ? Il faut donc se méfier de tout ramener à une question de milieu. Car, par exemple, sous prétexte de critiquer le conformisme social, cela en fait, en réalité, le jeu, tant le conformisme a tendance à tout réduire à un acte social. Avant d'être un phénomène social, la morale est un phénomène de pensée. Elle est la vie pensée contre la vie qui ne pense plus. Et quand elle devient un phénomène social, c'est parce que, avant tout, elle est un phénomène de pensée, en introduisant de la vie pensée dans la vie sociale. Ainsi, c'est la morale comme pensée vécue qui fait la société véritable, en redressant celle-ci quand elle a tendance à chuter dans un conformisme à l'égard d'elle-même. Ce n'est pas le simple fait d'appartenir à une société qui fait de nous des êtres moraux. Au contraire !

« La morale est l'ensemble des principes, des maximes et des règles, d'après lesquels le témoin impartial conseille son prochain. Il n'y a point d'incertitude que l'on exige du voisin. Le difficile est de la pratiquer soi-même, et c'est en portant là son attention qu'on se forme le jugement moral. Car, dès qu'on y pense, on n'osera plus faire en s'applaudissant ce que l'on vient de condamner chez un autre. »
Alain, Les Dieux.

Une vraie société est une société consciente d'elle-même, faite d'hommes qui pensent. Aussi est-ce cette vie pensée, qu'est la morale, qui fait la société, et non l'inverse.

Les valeurs s'inventent-elles ?

La valeur est une façon subjective et vivante de faire exister la morale. Mais jusqu'où peut-on, ainsi, faire de la morale une question de valeur ?

Il faut soumettre la morale à la notion de valeur

Régulièrement, on entend les hommes politiques dire : «*Notre société a besoin de valeurs.*» Régulièrement, certains essais philosophiques s'efforcent de répondre à cette invitation en proposant de «nouvelles valeurs». Hier, on parlait des valeurs de la famille et de la tradition. Aujourd'hui, on parle des valeurs de l'individu et du progrès. Certains s'en félicitent. D'autres le déplorent. Aussi se dépêche-t-on de proposer de nouvelles valeurs ou de défendre celles qui existent ; sans que nous soyons pour autant avancés, tant il règne un flou au sujet des valeurs, que la création de valeurs nouvelles ne dissipe guère. Lorsqu'il a écrit *La Généalogie de la morale**, Nietzsche (1844-1900) a proposé de soumettre la morale à la notion de valeur. Pourquoi ? Pour mettre la morale en mouvement en demandant à son sujet ce qu'elle vaut. La morale, en effet, devrait valoir la peine d'être vécue. Souvent elle ne l'est pas. Faute de vie. Aussi convient-il de la réveiller en se demandant : «*Que vaut au fond la vie morale ? Pourrais-je vivre la morale que l'on me propose ?*» Un tel sens a aujourd'hui disparu de nos vies ou presque. Qui, hormis quelque héros ou quelque sage méconnus, vit pour la morale et serait prêt à mourir pour elle ? Bien peu de monde. Certes, on discute beaucoup de morale. Mais on en vit peu. Signe qu'elle ne vaut rien, par rapport à l'argent ou au désir* des richesses qui sont les premières valeurs reconnues dans la société moderne. Les valeurs boursières ont tendance à l'emporter sur les valeurs morales. D'où le désarroi des hommes politiques et leur inquiétude. Car, si la valeur morale

«*Énonçons là cette exigence nouvelle : nous avons besoin d'une critique des valeurs morales et la valeur de ces valeurs doit tout d'abord être mise en question et, pour cela, il est de toute nécessité de connaître les conditions et les milieux qui leur ont donné naissance, au sein desquels elles se sont développées et déformées (la morale en tant que conséquence, symptôme, masque, tartuferie, maladie ou malentendu ; mais aussi la morale en tant que cause, remède, stimulant, entrave ou poison).*»
Nietzsche,
La Généalogie de la morale.

fondements   rappels   questions

ne vaut rien, ne risque-t-on pas de perdre tout sens moral et de basculer dans un monde à la fois égoïste et violent ? La question des valeurs est donc un problème réel. Mais est-il sûr qu'on le résoudra en « créant » des valeurs ?

C'est la vie qui fait la valeur

Face à la valeur prise par l'argent, il existe une tendance à vouloir coter telle ou telle valeur morale, comme on cote une valeur boursière. Ce qui revient, tout simplement, à continuer de parler d'argent en parlant de morale. En ce sens, parler de morale en termes de valeurs, est contraire à la morale.

Et, à proprement parler, il conviendrait que l'on arrête de parler de valeurs morales. La famille, la vertu*, la générosité ou la responsabilité* sont plus que des valeurs. Ce ne sont ni de bons investissements, ni des placements avantageux, mais des principes fondamentaux. Arrêtons donc de coter la morale en parlant de valeurs en hausse ou en baisse. Cessons de proposer régulièrement un « hit-parade » des valeurs et donnons-nous une véritable morale digne d'être vécue, et non une mode en nous demandant quelle valeur nous allons prendre pour partir en vacances, comme on choisit une tenue pour l'été. Et pour cela, revenons au vrai sens des valeurs. Imaginons que l'on se mette à vivre le courage*, la responsabilité ou la patience comme valeurs, on se mettrait immédiatement à rendre ces vertus créatrices en faisant émerger mille facettes à leur sujet. La morale pourrait alors redevenir vivante. Si la morale ne s'invente pas, elle se réinvente sans cesse, en faisant des valeurs non pas des valeurs tristes mais joyeuses, par le fait de les vivre.

BOURSE DES VALEURS MORALES

TOUT BAISSE !

GARDEZ LE MORAL

Demandons-nous, à propos de la morale, pour quelle vertu nous accepterions de vivre, nous redonnerons à celle-ci la valeur qui lui manque.

La morale peut-elle tenir lieu de religion ?

**Ériger un culte de la morale ne va pas de soi.
Peut-on faire une « religion de la morale » ?**

Querelle autour de la morale

L'histoire de la morale* est marquée par l'histoire des rapports entre morale et religion et, pour ce qui nous concerne, par l'histoire des rapports entre morale et christianisme.

Si l'on peut dire qu'avant la Révolution française il existait une tendance à penser qu'il ne peut pas y avoir de morale sans religion, après la Révolution française, il a existé une tendance à dire que la morale pouvait fort bien se passer de religion et même en tenir lieu. Ce qui est une double erreur.

S'agissant en effet du rapport entre morale et religion, il n'est pas évident de vouloir faire dériver la morale de la religion. D'abord parce que beaucoup de personnes qui sont religieuses ne sont pas forcément morales, et beaucoup de celles qui sont morales ne sont pas forcément religieuses.

Ce n'est pas parce que l'on appartient sociologiquement à une religion que l'on est moral.

Pour être moral, il faut un engagement personnel et pas simplement une appartenance sociologique. En ce sens, la religion ne dispense pas de la morale.

Au contraire, la véritable religion incite chacun à être moral. Pour la religion, il existe une perfection divine. Soit. Donc, l'homme doit devenir parfait, et pas simplement laisser la perfection être parfaite.

La morale n'est pas une religion

Il n'est pas évident, non plus, de vouloir diviser morale et religion. D'abord, parce que beaucoup de personnes qui sont religieuses sont d'une très grande moralité. En outre, croire que la condition de la moralité réside dans la négation de la religion

fondements | rappels | questions

n'est pas une attitude morale, mais une attitude fanatique. Ce n'est pas parce que l'on est contre la religion que l'on est moral.

Pour être moral, il faut être « moral » et pas seulement antireligieux.

La non-appartenance à une religion n'est pas la condition de la morale.

En ce sens, la morale laisse une place à la religion car, la morale se préoccupant d'être morale, elle n'a pas la prétention d'être quoi que ce soit d'autre.

D'une façon générale, le débat morale-religion nous enseigne que les problèmes sont mal posés.

On voudrait que la religion puisse tenir lieu de morale ou, à l'inverse, que la morale puisse tenir lieu de religion. Or pour la vie authentique, rien ne peut tenir lieu de rien. Rien ne peut remplacer quoi que ce soit.

L'histoire nous montre que, dès lors qu'il y a des hommes authentiques, il n'y a pas de conflit entre morale et religion ; le problème morale-religion n'est pas d'être pour ou contre la religion, mais de devenir un homme véritable.

« La conscience morale est donc une lumière qui se voit elle-même [...]. Là où les âmes cadavéreuses ne voient rien, les natures morales discernent une foule de problèmes possibles ou, comme nous le disons, de cas de conscience. Un rien les fait souffrir. Elles vibrent et font écho à toutes les conjonctures. Un acte indifférent pour les autres fera pour elles question et les plaisirs les plus innocents leur paraîtront suspects. C'est là ce que l'on appelle le scrupule. »
Vladimir Jankélévitch, *La Mauvaise Conscience.*

Réduire la morale à la religion ou opposer la morale et la religion nous font manquer le fait que la morale construit l'existence et que la religion l'illumine.

Y a-t-il trop ou pas assez de morale ?

Les partisans du progrès ont tendance à penser qu'il y a trop de morale. Les conservateurs, qu'il n'y en a pas assez. Est-ce une bonne façon de poser le problème ?

Une double erreur*

Nos attitudes à l'égard de la morale* sont pour le moins contradictoires. Car, régulièrement, nous avons tendance à passer d'un extrême à l'autre. Ainsi, il n'est pas rare d'entendre, ici ou là, des critiques s'élever contre la morale. La morale serait synonyme de conservatisme frileux, donc de repli sur soi, de régression voire de répression. D'où l'appel à moins de morale. Afin que les choses avancent. À l'inverse, il n'est pas rare d'entendre que tous nos maux viennent de ce qu'il n'y a pas assez de morale. À la limite, il faudrait, pour arranger tout ce qui va mal dans la société, qu'un gouvernement ait assez de poigne pour faire régner la morale par la force si besoin est. Ces deux attitudes traduisent superficiellement un malaise profond posant de vraies questions. Avant tout, il est bien ambigu de dire qu'il y a trop de morale. Quand, en effet, on dit qu'il y a trop de morale, c'est parce qu'implicitement on défend une morale. On trouve la morale « immorale », parce que l'on voudrait, au nom d'une attitude d'ouverture et de souplesse, qu'il y ait moins de fermeture et de rigidité. Sans morale, donc, on ne critiquerait pas la morale. Pourquoi, dès lors, ne pas dire que l'on veut une vraie morale au lieu de dire que l'on veut moins de morale ? D'autant que, si demain on se retrouvait effectivement avec moins de morale, il y a fort

fondements   rappels   questions

à parier que l'on se retrouverait avec ce que l'on veut éviter, moins de morale signifiant non pas plus d'ouverture et de souplesse, mais plus d'égoïsme et de dureté et, donc, plus de fermeture et de rigidité. Faut-il dès lors désirer plus de morale ? Méfions-nous là encore.

La morale montre plus qu'elle ne démontre !

Avant tout, la morale n'est pas une question de quantité. Celle-ci ne se mesure pas comme on pèse une denrée afin d'avoir la bonne dose. Une telle vision technique de la morale n'est pas morale. Il s'agit là d'une manipulation de la morale. Au-delà de cet aspect quantitatif, il faut parler de la personne*. Regretter qu'il n'y ait pas assez de morale dans le monde n'est pas critiquable. Au contraire. Cela témoigne d'un intérêt pour la morale. Et, à travers cet intérêt, cela renvoie au refus de jouer au dur que rien n'étonne, quand il arrive, malheureusement, que la morale soit bafouée. Ce que Hegel (1770-1831) a appelé la « belle âme » (il sous-entendait par là le professionnel de l'indignation) a le don de se révolter quand la morale est mise à mal. Et il est bon qu'il y ait ainsi de « belles âmes ». Cela dit, l'indignation ne suffit pas. Car, si déplorer que la morale n'existe pas est bien, la faire exister est mieux. L'absence de morale dérange ? Bien, mais pourquoi ne pas être moral ? À quoi sert-il de critiquer l'absence de morale chez les autres si, soi-même, on ne fait pas vivre la morale ? La critique de l'immoralité des autres ne remplacera jamais la morale. Aussi n'est-il pas suffisant de dénoncer ce qui ne va pas chez les autres. S'il n'y a pas assez de morale dans le monde, c'est d'abord qu'il n'y en a pas assez en nous. Il faudrait avoir le courage* de le reconnaître. Qu'un homme se lève, et des centaines se lèveront. La morale ne se démontre pas, elle se montre. Car la vertu* n'est rien sans le vertueux. Socrate (470-399 av. J.-C.) ne s'est pas contenté de parler de la vertu. Il est devenu vertueux. Et c'est pour cela qu'il est devenu Socrate.

> « Vivre de la vie la plus belle, notre âme en elle-même en trouve le pouvoir, pourvu qu'elle reste indifférente aux choses indifférentes. Elle y restera indifférente, si elle considère chacune d'elles séparément et par rapport au Tout, si elle se souvient qu'aucune ne fait notre opinion sur elle ni ne vient nous chercher, mais que c'est nous qui portons nos jugements sur elles et qui les gravons en nous-mêmes tout en ayant le pouvoir de ne pas les graver, si elles s'y sont gravées à notre insu, et de les effacer. »
> Marc Aurèle, *Pensées pour moi-même*.

Déplorer l'absence de morale dans le monde ne suffit pas. Il faut faire progresser celle-ci en devenant soi-même moral.

Qu'est-ce qui est bien ?

Nous appelons souvent bien ce qui se conforme à ce que nous désirons. Et si le bien désignait autre chose ?

Du plaisir* à l'idée

Quand on se pose la question: «*Qu'est-ce qui est bien?*», on est presque inévitablement tenté de répondre: «*Le bien*, c'est le contraire du mal*!*» Soit. «*Mais alors, qu'est-ce qui est mal?*» a-t-on envie de rajouter. «*Ce qui est mal? Ma foi, c'est ce qui va contre la vie et, en particulier, contre la vie de chacun*», répond-on souvent.

Cette réponse souligne quelque chose de juste. Le bien passe par le fait de se sentir bien et de pouvoir ainsi vivre d'une façon conforme à soi-même dans la réalité concrète.

Reste que l'on ne saurait limiter le bien à cet aspect personnel, heureux et concret des choses.

Car réduire le bien à un aspect purement individuel, en faisant de celui-ci ce qui plaît à chacun, conduit inévitablement non seulement à diviser le bien mais à nous diviser entre nous à propos du bien. Si bien que, partis pour vivre dans le bien, nous finissons par nous retrouver dans la confusion, la violence et finalement le mal. Chacun ayant des goûts propres voire des caprices ou des manies, comment ne pas voir qu'en faisant du bien une affaire personnelle on aboutit à ériger la partie la moins raisonnable de nous-mêmes en principe? En outre, réduire le bien à une affaire de bien-être,

fondements | rappels | questions

c'est perdre de vue que le bien est du côté de la pensée et du jugement* et non pas simplement du besoin et de sa satisfaction. Quand on dit que quelque chose est bien, on ne dit pas que cela nous plaît. On dit que cela est conforme à ce que cela doit être et donc à l'idée qu'il faut s'en faire.

Ainsi, le bien acquiert tout son sens d'élever la vie à la hauteur d'une pensée et non de ramener la pensée au niveau d'un goût personnel. Faut-il, pour cela, éliminer tout bien-être ? Nullement.

Toutefois le bien-être existe parce que l'on est en mesure de juger ce qui est bien. Sans idée du bien, pas de bien-être.

La vie pensante

Il est possible de vivre pleinement tout en pensant pleinement.

Pour peu que l'on fasse de la pensée la vie même.

C'est alors que l'on rencontre le bien, qui n'est ni le fait de simplement bien être, ni celui de simplement bien penser, mais celui d'être bien à force de bien penser et de bien penser à force d'être bien.

La pensée peut rejoindre la vie, et la vie la pensée, pour peu que l'on vive bien ce que l'on pense et que l'on pense bien ce que l'on vit.

Une vie pleinement pensée est possible. La science en doute.

Le propre de la philosophie est d'enseigner qu'une telle vie est possible.

L'homme n'a pas simplement besoin de réussir sa vie. Il a besoin de l'accomplir.

Et il l'accomplit quand il se met à vivre une vie pleine de sagesse* et pas simplement de bien-être, parce qu'il s'est mis à juger ce qu'il vit et pas simplement à profiter de la vie.

Si une vie sans bien-être conduit à la tristesse*, un bien-être sans sagesse conduit à l'ennui.

D'où la nécessité de se tourner vers le bien et pas simplement le bien-être.

Afin de se sauver de la tristesse et de l'ennui en donnant de l'être au bien-être.

> « *Toute recherche et toute technique, et pareillement toute action et toute préférence, tendent, à ce qui semble, vers un bien. Aussi a-t-on eu raison de déclarer que le bien, c'est ce vers quoi tendent toutes choses… Bien que toutes les techniques et toutes les recherches soient diverses, toutes relèvent d'une même capacité, à savoir la capacité ordonnatrice qui consiste à ordonner les choses en vue d'une fin.* »
> Aristote,
> *Éthique à Nicomaque.*

Le bien n'est pas un simple bien-être subjectif, mais un bien-être pensé que tout le monde pourrait vivre, parce qu'il est sage.

Qu'est-ce qui est mal ?

En disant que quelque chose est mal, on exprime souvent une réaction subjective. Peut-on dire, pour autant, que le mal n'est qu'une affaire de jugement subjectif ?

Nos jugements nous jugent !

«*Pourquoi dites-vous que c'est mal?*» «*Qu'est-ce qui vous permet de dire que c'est mal?*» Combien de fois n'entendons-nous pas ces phrases et combien de fois, avouons-le, nous ne savons pas répondre, nos réponses étant trop fragiles pour apporter une réponse! Il y a une relativité du mal*, chacun appelant mal ce qui est contraire à ses intérêts, chaque société repoussant comme étant mal ce qui est contraire à ses normes. Aussi n'est-il pas faux de dénoncer les jugements* trop hâtifs qui déclarent que ceci ou cela est mal. Car il y a quelque chose de gênant dans le fait de prononcer de tels jugements. Souvent, la condamnation de quelqu'un qui a mal agi se transforme en haine. En outre, elle s'accompagne souvent d'hypocrisie. Ne nous est-il pas arrivé de mal agir, nous aussi? Pourquoi, dès lors, accuser l'autre du mal qui règne dans le monde? Le mal vient-il seulement par l'autre? On peut tomber, à l'occasion du mal, dans des conduites persécutrices. C'est la raison pour laquelle on ne doit pas juger à l'emporte-pièce et condamner. Faut-il toutefois s'abstenir de tout jugement au sujet du mal?

Le cercle vicieux du mal

Ceux qui condamnent tout jugement à propos du mal ont beau condamner toute condamnation, ils n'en cessent pas moins eux-mêmes de condamner. Signe qu'ils ont tendance à reproduire ce qu'ils dénoncent. Cette contradiction n'est pas fortuite. Contrairement, en effet, à ceux qui disent : «*À chacun sa morale* *», le mal n'est pas relatif. Il existe bien, au contraire. Et ce, sous la forme d'un système men-

«*Je n'ai qu'à me consulter sur ce que je veux faire: tout ce que je sens être bien est bien, tout ce que je sens être mal est mal: le meilleur de tous les casuistes est la conscience […]. Le premier de tous les soins est celui de soi-même: cependant combien de fois la voix intérieure nous dit qu'en faisant notre bien aux dépens d'autrui nous faisons mal! Nous croyons suivre l'impulsion de la nature et nous lui résistons; en écoutant ce qu'elle dit à nos sens, nous méprisons ce qu'elle dit à nos cœurs; l'être actif obéit, l'être passif commande.*»
Jean-Jacques Rousseau,
La Profession de foi du vicaire savoyard.

fondements | rappels | questions

tal, reposant sur un aveuglement généralisé. On tend à s'aveugler sur soi. À se croire innocent à propos de tout. Dans le même temps, on tend à s'aveugler sur l'autre. À l'accuser de tous les maux de la terre. Du coup, on tend à se donner tous les droits, tout en déniant tout droit à autrui. Résultat, la violence tend à s'installer, sans que l'on s'en rende compte. Et pour cause ! puisque nous nous sentons innocents à propos de tout, l'autre étant coupable de tout. C'est cet aveuglement qui constitue le mal. Car, si l'on ne s'aveuglait pas ainsi, ne se sentant pas innocent à propos de tout, on se rendrait compte du mal que nous pouvons faire, quand il nous arrive d'en faire. Et, de ce fait, on ferait moins de mal. En outre, on cesserait d'accuser l'autre de tous les maux de la terre en le persécutant. Et, là encore, il y aurait moins de mal. C'est ce qu'a voulu dire Platon (428-348 av. J.-C.), lorsqu'il a dit que nul n'est méchant volontairement. Le mal est ignorance, parce que le mal est inconscience*. Ainsi que le rappelle l'Évangile, les hommes ne savent pas ce qu'ils font, quand ils font le mal. Car ils sont aveugles sur eux-mêmes. D'où l'importance de substituer le bien*, à savoir la vie pensante, la vie en esprit, au mal. Car il n'est pas impossible de sortir du mal. Le mal est plus un défaut qu'une fatalité. Il est en nous sous la forme d'un manque de rapport à nous-mêmes. Une absence à l'esprit devenant une absence d'esprit. C'est cette absence de l'homme à lui-même qui rend l'homme étranger à l'homme et provoque l'avènement de l'inhumain. Faisons donc un effort de pensée et de retour sur nous-mêmes et nous éviterons, ainsi que l'a dit Paul Ricœur (né en 1913), «*que le mal ne s'installe comme ce que personne n'a commencé et que tout le monde continue*». L'homme est responsable* du mal sans en être la cause.

Le mal n'est ni une réalité figée ni quelque chose de relatif et de subjectif, mais une forme d'aveuglement né d'un refus de retourner à nous-mêmes.

Est-il dangereux d'agir par principe ?

On se trompe quand on pense qu'agir par principe, c'est-à-dire en disant : « Il faut... », relève d'une attitude rigide ou aveugle. C'est tout le contraire.

« Il n'est pas possible de vivre heureux sans être sage, honnête et juste, ni d'être sage, honnête et juste sans être heureux. Celui qui est privé d'une de ces choses, par exemple de la sagesse, ne peut pas vivre heureux, même s'il est honnête et juste. »
Épicure, *Maximes*.

L'orgueil n'a pas de principes

Quand, à propos d'une chose, on en fait une question de principe, il n'est pas rare de voir les attitudes se braquer, l'un voulant tout obtenir par principe et l'autre ne rien céder par principe. D'où des tensions. Et, par là même, des critiques. Des conflits peuvent être évités, pour peu que l'on négocie afin de parvenir à un arrangement. Souvent ces conflits existent parce que, par orgueil, pour ne pas donner l'impression qu'on est faible, on se fixe sur un détail. On dit que c'est le plus intelligent qui cède. Et l'on a raison. Car, à quoi mène le fait de vouloir obtenir quelque chose par principe ? Dans l'épisode de la lutte des consciences* en vue de la reconnaissance, que Hegel (1770-1831) a mis en scène dans « la dialectique du maître et de l'esclave », le maître est prêt à tout afin de parvenir à ses fins. Y compris à mourir. Le terroriste qui est prêt à tout faire sauter pour pouvoir obtenir gain de cause n'agit pas autrement. Résultat, à la folie des uns répond la folie des autres. Par exemple, certains pouvoirs n'hésitent pas à basculer dans des formes de tyrannie afin de ne rien céder. D'où des situations de crise, avec, à la clé, un cercle vicieux. Qui n'a rien est tenté de tout vouloir. Qui tente de tout vouloir court le risque de ne rien avoir. Qui donc s'aveugle est tenté de s'aveugler davantage. La sagesse* est dès lors avisée lorsqu'elle conseille de transiger. Mais encore faut-il savoir avec quoi. Aussi importe-t-il de nuancer les critiques à propos du principe. Car, on se trompe à son égard.

MOI MONSIEUR J'AI DES PRINCIPES

EN PRINCIPE...

fondements | rappels | questions

Ce que le principe signifie

Le principe, comme son nom l'indique, vient de *princeps* qui, en latin, veut dire « prince » et, par extension, « premier ». À ce titre, le principe désigne ce dont tout dérive et qui, lui-même, ne dérive de rien. Pour penser, pour agir, il faut des principes, sinon l'on ne pense pas et l'on n'agit pas. Dépourvu de tout fondement, on ne va nulle part. Tout comme une maison a besoin de fondations, la pensée a besoin de fondements, grâce auxquels elle peut se réfléchir. En ce sens, penser et agir par principe reviennent au même que réfléchir. Dès lors, comme pensée et principe se confondent, comment conclure que le principe puisse être violent ? Il ne faut donc pas se tromper à propos du principe. Celui qui se braque et décide de ne rien céder afin de tout obtenir, comme le maître dans « la dialectique du maître et de l'esclave » de Hegel, n'a aucun rapport au principe. Étant un tyran* et non un sage, il a davantage envie d'imposer l'arbitraire de ses caprices que de justifier sa conduite. Aussi son principe réside-t-il dans le fait de ne pas avoir de principes et de tout ramener tyranniquement à son moi. En ce sens, céder face à un tel tyran, ce n'est pas faire preuve d'un manque de principe, mais, au contraire, faire preuve de principe. Car, quand la tyrannie qui n'a pas de principes veut tout, tout de suite, c'est le fait de ne pas vouloir tout tout de suite qui témoigne d'un principe. La pensée prend son temps. Elle n'est pas tyrannique. Donc, elle n'est pas bêtement obstinée. Et, n'étant pas ainsi bêtement obstinée, elle montre qu'il faut vivre pour un but plus élevé. En l'occurrence, la vie pensée. Et non la vie aveugle. Un fanatique n'est donc pas un homme de pensée. Et un homme de pensée n'est pas un fanatique. Si nous avions un vrai rapport au principe, il ne pourrait jamais y avoir d'aveuglement. Tout en étant ferme, on ne basculerait pas dans la violence. Il y a des choses plus importantes que sa propre domination tyrannique sur le monde. C'est ce que le principe veut dire. Et, en le disant, il nous fait accéder au véritable moi.

> « Certaines gens désirent acquérir une grande renommée et devenir célèbres, croyant par là se mettre en sûreté contre les hommes. Si leur vie était ainsi à l'abri de tout danger, ils auraient en effet un bien conforme à la nature ; mais si elle n'est pas exempte de troubles, ils n'obtiennent pas ce à quoi ils avaient aspiré dès l'origine, en suivant le penchant de leur nature. »
> Épicure, *Maximes*.

Avoir des principes et penser reviennent au même. C'est ce qui permet de ne pas tout se permettre sans tenir compte de la vie comme d'autrui.

Pourquoi se sentir obligé ?

On confond souvent l'obligation morale qui est au fond de toute morale avec une contrainte détruisant la liberté. C'est pourtant tout le contraire.

« Quand je conçois un impératif hypothétique en général, je ne sais pas d'avance ce qu'il contiendra, jusqu'à ce que la condition me soit donnée. Mais si c'est un impératif catégorique que je conçois, je sais aussitôt ce qu'il contient [...]. Il n'y a donc qu'un impératif catégorique et c'est celui-ci : "Agis uniquement d'après la maxime qui fait que tu peux vouloir en même temps qu'elle devienne une loi universelle." »
Kant, *Fondement de la métaphysique des mœurs.*

Se forcer n'oblige personne

Il vaut mieux ne rien faire que faire les choses à contrecœur. Car, montrer à l'autre que l'on se force pour lui, c'est, au fond, lui signifier qu'on le rejette. Ce qui enlève toute valeur au don qu'on peut lui faire. On a donc raison de dire que seule l'intention compte et, par là même, que l'intention sous la forme de la bonne intention est le fond même de la morale*. La bonne intention résidant dans le fait d'aimer, seul le fait d'aimer compte au fond. Faisons sentir à l'autre qu'on l'aime, d'une façon ou d'une autre, celui-ci sera touché et, nous-mêmes, nous aurons triomphé de l'égoïsme et gagné en humanité. Trop se forcer n'est pas vertueux*. Mais ne plus se forcer du tout l'est-il? Aujourd'hui, l'heure est à la décontraction. On aspire à être à l'aise et bien dans sa peau. Et on a raison. Car il est, somme toute, non seulement bon pour soi, mais généreux pour les autres d'être bien dans sa peau. Cela détend l'atmosphère au lieu de la rendre tendue. En outre, cela crée un certain climat d'indépendance. Car, pour être bien avec soi-même, encore faut-il être soi-même. Pour y arriver il faut se détacher des autres. En ne s'occupant pas d'eux. Ou pas trop. Le courtisan fait sa cour aux puissants qu'il veut séduire. L'être authentique suit sa ligne, sans se préoccuper de plaire. Et c'est pour cela qu'il est authentique. Jusqu'où, toutefois, est-il possible d'aller en ce sens?

L'obligation ne se force jamais

Une chose est d'être bien dans sa peau, une autre d'être obsédé par le fait d'être bien dans sa peau. On a tendance à l'oublier. Du coup, l'amour* de soi

fondements · rappels · questions

tourne à l'obsession et au narcissisme. En outre, être soi en toute occasion peut conduire à la brutalité. Si bien qu'en ne se forçant en rien afin d'éviter des tensions, on finit par déboucher sur des tensions. S'il importe d'être soi-même, il importe de savoir l'être même avec autrui et non contre lui. Aussi le fait d'être soi passe-t-il par un dépassement de soi. De même, s'il importe d'être fidèle à soi, cela n'interdit pas la politesse. Au contraire. Sauf à s'imaginer que l'impolitesse est un critère d'authenticité! Il y a donc du sens à s'obliger. Quand on demande à quelqu'un de faire quelque chose pour nous d'utile et d'agréable, on lui dit: « *Vous m'obligeriez en faisant ceci.* » Obliger quelqu'un d'autre consiste, en ce sens, à rendre service à quelqu'un. Et devenir l'obligé de quelqu'un consiste à lui devoir un service. Le lien d'obligation* est donc un lien de service mutuel que l'on se rend et qui, non seulement favorise la relation sociale, mais fonde celle-ci. Notre vie se passe en services que nous nous rendons les uns aux autres. S'agit-il là d'une contrainte? Nullement. Et même, au contraire. La vie sociale se dégage des contraintes qui l'entravent, parce que nous ne cessons de nous rendre des services les uns aux autres. Imaginons que demain le sentiment d'obligation disparaisse, nous connaîtrions aussitôt la contrainte. Par l'entremise, en revanche, du rapport d'obligation, peu à peu, on en vient à faire attention les uns aux autres. D'où un paradoxe. À force de nous obliger, insensiblement l'obligation finit par disparaître, le fait de s'obliger les uns aux autres dispensant de toute contrainte afin de faire exister une relation sociale. Kant* a longuement analysé la notion d'obligation sous la forme du devoir*. Il a vu dans le sens du devoir le fondement de toute morale. On comprend mieux pourquoi le devoir bien compris conduit à la liberté.

Le sens de l'obligation qui consiste à être prévenant à l'égard d'autrui permet de construire une société où la violence est peu à peu vaincue, parce que l'on s'efforce d'être obligeant et prévenant.

Pourquoi respecter ce qui n'est pas respectable ?

Notre réflexe est de ne respecter que ceux qui nous respectent. Est-il sûr que nous ayons affaire là à un respect véritable ?

Le respect n'est pas la respectabilité

Quand quelqu'un nous manque de respect*, notre premier geste est de ne pas le respecter non plus. N'est-ce pas là normal ? Pourquoi devrait-on se gêner, alors que l'autre ne se gêne pas ? N'est-il pas injuste de faire un effort quand l'autre n'en fait pas ? En outre, constatons-le comme Pascal (1623-1662) l'a fait : le monde tourne autour de la respectabilité. Pour être admis dans la société, il faut avoir une certaine réputation. Mais qu'y a-t-il derrière tout cela ? Est-il toujours respectable d'être respectable ? Dans les films de gangsters, certains caïds se font, comme on dit, respecter en tenant en respect leurs adversaires grâce à leur violence. N'est-ce pas cette violence que l'on trouve au fond de la respectabilité ? Que serait le roi sans son armée ? s'interroge Pascal. Se ferait-il respecter ? Et le juge sans le cérémonial de la justice, se ferait-il respecter lui aussi ? Dès lors, qu'est-ce que le respect ? Ne respecte-t-on pas uniquement ce que « l'on craint » ? Et ne se fait-on pas respecter en se faisant craindre ? Toutes ces questions sont justifiées. Pourtant, il y a un malentendu à propos du respect, qu'il convient de dissiper.

« Qui dispense la réputation, qui donne le respect et la vénération aux personnes ? sinon la faculté d'imaginer. Ne diriez-vous pas que ce magistrat dont la vieillesse vénérable impose le respect à tout un peuple se gouverne par une raison pure et sublime [...]. Voyez-le rentrer dans un sermon [...] le voilà prêt à l'ouïr avec un respect exemplaire. Que le prédicateur vienne à paraître, si la nature lui a donné une voix enrouée et un tour de visage bizarre, que son barbier l'ait mal rasé, son crédit se dissipera. »
Pascal, Pensées.

IL Y A TOUJOURS QUELQUE CHOSE DE RESPECTABLE...

LE POIDS PAR EXEMPLE...

fondements rappels questions

L'humanité du respect

D'abord, si l'on se plaint du fait que les autres ne respectent rien, il importe de montrer l'exemple au lieu d'en rajouter. Ou alors il convient de ne pas se plaindre du fait qu'il y a de l'irrespect dans le monde.

Certains ne respectent rien ? Raison de plus pour respecter ce qu'ils ne respectent pas. Méfions-nous donc des révoltes faciles. Pascal faisait remarquer, à propos de la loi, qu'il faut la respecter, non parce qu'elle est juste, mais parce qu'elle est la loi. Il entendait par là que, si l'on devait attendre pour obéir aux lois que celles-ci soient justes, il y aurait tant de désordres qu'il y aurait bien plus d'injustices encore dans le monde.

Ce n'est donc pas parce que certains hommes politiques se font respecter en se faisant craindre, qu'il faut renoncer à la politique comme à la justice. Au contraire. Par ailleurs, remercions donc la comédie humaine de nous montrer le ridicule qu'il y a à se retrancher derrière la respectabilité. À sa façon, elle nous rappelle que le respect véritable n'est jamais dans les choses, mais dans nos sentiments à l'égard des choses. Il y a, de ce fait, une profondeur du respect. Ainsi, en amour*, aimer ne dispense pas de respecter. Aimer s'accomplit dans le respect.

Certes, il y a dans le respect une nuance de distance. Mais cette distance où se mêlent crainte* et admiration est ce qui nous évite d'étouffer l'autre. Mieux, elle est une façon, en plaçant l'autre au plus haut, de le protéger.

En ce sens, le sentiment véritable rejoint la morale* véritable. Kant* (1724-1804) a donc eu raison de faire du respect la morale en acte. Respecter voulant dire ne pas tout se permettre, respecter veut dire se limiter et, ainsi, de l'intérieur de la raison, pratiquer une ouverture sur l'autre. On pense souvent que c'est le sentiment que l'on a pour l'autre qui fonde le respect. C'est l'inverse qui est vrai. C'est le respect qui fonde le rapport à autrui et le sentiment que l'on a pour lui.

> « Les êtres, dont l'existence dépend de la nature, n'ont qu'une valeur relative, celle de moyens, et voilà pourquoi on les nomme des choses ; au contraire, les êtres raisonnables sont appelés des personnes, parce que leur nature les désigne comme des fins en soi, c'est-à-dire comme quelque chose qui ne peut pas être employé comme moyen. »
> Kant, *Fondement de la métaphysique des mœurs.*

Le respect, loin d'être une attitude extérieure, est le sentiment le plus élevé que l'on puisse avoir à l'égard d'autrui, en étant une distance ouvrant sur autrui.

Faut-il bannir tout jugement de valeur?

On dit qu'il ne faut pas juger, dans le sens de condamner.

Mais, peut-on réduire tout jugement à une condamnation?

Quand juger veut dire condamner

« Moi, je ne porte pas de jugement*. Je me contente de rapporter les faits », revendique l'historien. *« Moi non plus, je ne porte pas de jugement. Je me contente d'observer, de décrire et d'expliquer les phénomènes »*, déclare le savant. *« Vous jugez? Moi, pas. Il faut se mettre à la place des autres »*, nous dit celui qui estime qu'il faut comprendre. En quoi tous trois ont raison. Tout du moins partiellement. Car, avant de se faire une opinion sur un événement, il importe d'établir les faits. Souvent, en réagissant trop vite, on finit par être injuste. Un événement peut avoir plusieurs causes et, en particulier, des causes cachées. En se fiant aux apparences, on risque d'en devenir les victimes et, surtout, d'accuser à tort. Ce qui peut conduire à fabriquer des victimes de toutes pièces. C'est la raison pour laquelle en matière de justice les tribunaux reconstituent les faits après enquête. En science, cela est encore plus vrai. Il y a de la violence dans la nature. Faut-il, pour autant, renoncer à la connaître? Non, dira Lucrèce (v. 98-v. 55 av. J.-C.). La nature ne connaît ni bien* ni mal*. Car elle n'est pas un homme mais de la matière en mouvement. Cessons donc de la juger comme de juger ce qui, en l'homme, relève de la nature. Cessons, en particulier, de faire honte* à l'homme de son corps* comme de sa sexualité, ce qui le conduit à se détester. Car tous

« Toute la moralité de nos actions est dans le jugement que nous en portons nous-mêmes. S'il est vrai que le bien soit bien, il doit être au fond de nos cœurs comme dans nos œuvres, et le premier prix de la justice est de sentir qu'on le pratique. »
Jean-Jacques Rousseau,
La Profession de foi du vicaire savoyard.

fondements | rappels | questions

ces jugements finissent par démontrer que juger empêche la morale*. Enfin, quand autrui agit mal, comment savoir si, à sa place, nous n'aurions pas fait la même chose, voire pire ? Toutes ces questions sont vraies. Et pourtant, peut-on vraiment ne pas juger ?

Quand juger veut dire penser

Quand on avance que juger n'est pas bon, on le fait parce que l'on juge que le jugement au sens de condamnation n'est pas bon. On juge, en l'occurrence. Cessons donc de mélanger le jugement qui condamne avec le jugement qui estime, et reconsidérons les choses. Descartes (1596-1650) l'a rappelé. Nous ne jugeons pas assez d'après nous-mêmes et trop d'après les autres. C'est pour cela que nous sommes pleins de préjugés, sous la forme de pensées qui se pensent toutes seules. Si l'on jugeait d'après soi, il y aurait moins de préjugés. Et donc, moins de condamnations péremptoires. Il est donc faux de croire que la science ne juge pas. La science juge. Elle tranche en s'engageant. Et c'est pour cela qu'elle est la science. Le vrai jugement nous préserve du préjugé. Cela vaut pour l'histoire. Il faut juger là aussi. Être impartial, par exemple, ne veut pas dire tout mettre sur le même plan. Il est, dès lors, faux de croire qu'il n'est pas moral de juger la nature. Bien que faisant partie de la nature, nous ne sommes pas faits pour nous y engluer, mais pour nous en dégager. Si la nature comme phénomène n'est pas condamnable, la nature comme valeur peut le devenir. Ainsi la bestialité est un fait. Elle n'est pas une valeur. Et il faut le dire. D'où l'erreur* consistant à ne rien vouloir juger, en se mettant à la place des autres, afin de tout comprendre. Il ne faut pas juger au conditionnel et d'après l'autre, mais au présent et d'après soi. Ou bien on renonce à juger et l'on accepte tout. L'homme a un jugement né de sa conscience* et de son humanité, grâce à quoi il peut trancher. C'est parce qu'il s'engage personnellement dans l'humain que l'histoire progresse. Il faut donc être personnel et réagir avec ce que Vladimir Jankélévitch (1903-1985) appelle le « for intérieur ».

« Deux sages regardent du haut d'un pont le cours d'un ruisseau où s'ébattent des poissons. "Comme ils doivent être bien dans cette eau claire", dit le premier. "Comment peux-tu le savoir, puisque tu n'es pas un poisson", s'étonne le second. "Comment peux-tu savoir que j'ignore ce que les poissons pensent, puisque tu n'es pas moi", rétorque le premier. »
Sagesse chinoise.

S'il ne faut pas condamner et haïr, il faut apprendre à estimer et donc juger par soi, afin d'opposer un engagement personnel à l'impersonnel.

Pourquoi punir ?

On confond souvent la punition et la vengeance, sans apercevoir que punir n'est pas se venger, ni se venger punir.

JE SUIS VICTIME D'UNE VENGEANCE.!!

Punir n'est pas se venger

La punition fait peur. Qui aime être puni ? Qui ne redoute pas la punition pour une faute* qu'il a commise ? Au-delà de cette peur, des questions demeurent. Qui n'est pas parfois effrayé par la forme que prennent certaines façons de punir ? Celles-ci ne sont-elles pas excessives ? Ne traduisent-elles pas un acharnement suspect ? Jean Valjean dans *Les Misérables* de Victor Hugo (1802-1885) est envoyé au bagne pour avoir volé un pain. Mais qui est coupable ? Celui qui vole pour manger ? Ou un certain système économique qui pousse les plus pauvres à voler pour pouvoir manger ? Le régime des punitions est-il toujours dicté par la justice ? Ne lui arrive-t-il pas de servir la logique de certains intérêts au pouvoir ? Partout à travers le monde, des hommes et des femmes s'efforcent de vivre pour la vérité et la liberté. Ils dénoncent le mensonge et l'oppression, quand ils ne fustigent pas la médiocrité. On les réprime. On les fait taire. Souvent par tous les moyens, en les accusant de crimes qu'ils n'ont pas commis. Comment ne pas voir que les systèmes punitifs mis en place servent à étouffer leurs voix ?

Dès lors, comment penser la loi ? Si la loi, en effet, masque des intérêts et parfois une logique de répression partisane, est-ce parce qu'il y a des crimes que la loi surgit ou parce qu'une certaine loi apparaît qu'apparaissent des révoltes qualifiées de crimes ? On ne saurait éviter ces questions.

Et pourtant, il importe de les nuancer. La punition n'est pas la vengeance ni la vengeance une punition. Punir, en effet, c'est imposer à quelqu'un de réparer

fondements · rappels · questions

un tort qu'il a commis en payant de sa personne*. C'est donc le considérer comme un être responsable*.

En outre, aussi paradoxal que cela puisse paraître, punir c'est mettre fin à la logique de la haine et de la violence infinie. Dans *Antigone* de Sophocle (496-406 av. J.-C.), en effet, Créon poursuit de sa haine Polynice, le traître.

Alors que celui-ci est mort, il lui refuse toute sépulture et livre son corps aux oiseaux de proie.

C'est là tuer deux fois et s'acharner sur un cadavre. «*La haine doit s'arrêter devant les tombeaux*», dit Tirésias le devin. La punition est toujours une violence limitée. Pas la vengeance.

Le tyran veut l'impunité

Tout le monde connaît le proverbe *Qui aime bien châtie bien*. S'agit-il d'une déclaration autoritaire ? Nullement. Car, comment ne pas voir que l'on punit ceux que l'on juge capables de payer leurs dettes ? Ce qui est une façon de considérer l'autre en tant que personne.

Aussi paradoxal que cela puisse paraître, la loi qui sanctionne permet de rétablir une société humaine, alors que sans loi qui sanctionne on se trouve confronté, comme dans la vendetta corse ou sicilienne, à une logique de représailles infinies. Qui plus est, ne l'oublions pas, le tyran* aspire à demeurer impuni. Comme Platon (428-348 av. J.-C.) l'a montré dans *La République* à propos du mythe de l'anneau de Gygès le berger, permettant de voir sans être vu, le tyran aspire à prendre sans être pris. Aussi tyrannise-t-il, afin de demeurer dans l'impunité. Les tyrans, les tortionnaires et les assassins n'ont pas toujours été punis.

Aujourd'hui, on s'efforce de le faire, afin de montrer que le crime et l'atrocité ne doivent pas demeurer impunis. La défense de la loi passe par là.

Celle du respect* humain aussi. Tant il est vrai que la conscience* du respect passe par la conscience que l'on ne peut pas tout se permettre.

«*La sanction désigne au sens propre ce qui consacre ou sanctifie une loi ; la consécration de la loi, en l'espèce, c'est l'état affectif par lequel elle se rend sensible au sujet. On peut dire en ce sens que toutes les lois comportent des sanctions. Par exemple, nul ne viole impunément les lois physiques ou économiques. Cela est vrai, car il arrive ordinairement malheur à ceux qui ne tiennent pas compte des lois de la nature.*» Vladimir Jankélévitch, *La Mauvaise Conscience.*

Alors que la vengeance vise à détruire celui qui a commis une faute, la punition vise à ce que celui-ci répare le tort qu'il a infligé à autrui.

La passion est-elle toujours fatale ?

La passion, par son excès, est synonyme de violence. Mais n'y a-t-il dans toute passion que de la violence ?

« Il y a une troisième espèce de possession et de délire, celui qui vient des Muses. Quand il s'empare d'une âme tendre et pure, il l'éveille, la transporte, lui inspire des odes et des poèmes de toutes sortes et, célébrant d'innombrables hauts faits des anciens, fait l'éducation de leurs descendants. »
Platon, Phèdre.

Violence et passion

Depuis longtemps déjà, nous avons pris l'habitude d'accoler le mot aveugle à celui de passion*. On dit, avec raison, que la passion est aveugle. Et ce, parce que – nous en faisons parfois l'expérience – celui ou celle qui se laisse envahir par la passion ne sait plus très bien ce qu'il fait. Les Anciens, à savoir les Grecs, voyaient dans la démesure ou *ubris* l'ennemie de toute sagesse*. Aussi recommandaient-ils d'agir avec mesure en fuyant l'excès en tout. Platon (428-348 av. J.-C.) a consacré de longues pages dans *La République* à décrire l'état du tyran* intérieur. Qui est ce tyran intérieur ? En apparence, c'est l'homme dévoré par ses désirs* et prêt à tout afin de les satisfaire. Ainsi que l'a décrit Dostoïevski (1821-1881) dans *Le Joueur*, le joueur est prêt à sacrifier tout ce qu'il a afin d'éprouver le frisson du jeu. Le tyran intérieur lui ressemble. Il passerait sur le ventre de père et mère pour assouvir ses passions*. En profondeur, cependant, le tyran intérieur est plus qu'un homme assoiffé de plaisirs*. C'est celui qui se prend pour un dieu et qui, de ce fait, usurpe une place qui n'est pas la sienne. S'il se laisse ainsi aller à la passion, c'est qu'il imagine que tout est possible. La mythologie grecque a mis en scène, à travers le mythe d'Icare notamment, ce qui arrive à celui qui oublie qu'il est un homme. Icare, nous est-il dit,

À PEINE UNE PASSION

TOUT JUSTE UN COUP DE SOLEIL !

fondements | rappels | questions

voulait voler avec des ailes collées sur son dos par de la cire. En s'approchant du soleil, la cire a fondu, les ailes sont tombées, et Icare a été précipité dans la mer. C'est ce qui arrive à celui qui vit dans l'excès. À force de se croire tout permis, il finit par se détruire en oubliant de respecter sa propre vie. On comprend donc que des sages, comme les stoïciens*, aient enseigné à vivre sobrement. Par amour* de la vie. Afin de ne pas basculer dans le piège des excès. Il reste, cependant, que la passion n'a pas que cet aspect tragique.

De la violence à l'enthousiasme

Platon, pourtant critique à l'égard de la passion, a rappelé, bien avant Hegel (1770-1831), que rien de grand ne s'est fait sans passion. Quand, en effet, on se met en quête de sagesse, n'est-ce pas parce que, un jour, un livre ou une rencontre nous ont passionnés. Si personne n'avait trouvé Socrate (470-399 av. J.-C.) plus passionnant avec sa sagesse que les jeux et les plaisirs de la vie, la philosophie n'aurait jamais vu le jour. Il y a, en ce sens, un « éros » philosophique. Comme il y a un « éros » religieux et mystique, qui attire les hommes vers l'absolu. En son temps, Kierkegaard (1813-1855) s'est inspiré de ces exemples mystiques* pour défendre la passion. Celle de Don Juan, par exemple, qui à travers sa soif de vivre et d'aimer pose, selon lui, le vrai problème de l'humanité. L'homme a soif d'existence. Il rêve de s'accomplir. Il cherche à se sauver de ce piège qu'est une vie sans absolu. Car, il ne se réalise ni dans l'abstraction, ni dans le calcul, ni dans la médiocrité.

Sans passion, les hommes chutent. Et c'est alors qu'ils basculent dans la violence et la tyrannie, afin de retrouver, par là, une grandeur illusoire qu'ils n'ont plus. Méfions-nous donc d'un monde sans passion. La passion est l'élan de la vie tendue vers elle-même. Ayons la force de la passion et de l'enthousiasme désireux de vivre, nous cesserons de connaître des passions destructrices, passionnelles et pathologiques.

« Lorsque quelqu'un est tyrannisé par l'amour, il devient sans cesse à l'état de veille ce qu'il est en songe. Il ne s'abstient d'aucun meurtre, d'aucune nourriture défendue, d'aucun forfait. Éros qui vit en lui tyranniquement, dans un désordre et un dérèglement complets, parce qu'il est le seul maître, pousse le malheureux dont il occupe l'âme, comme un tyran la cité, à tout oser pour le nourrir, lui et la cohue des désirs qui l'entoure. »
Platon,
La République.

La passion véritable n'est pas un excès, mais un désir de vivre enthousiaste, qui préserve d'aller chercher dans l'excès la grandeur qui manque à la vie.

Pourquoi les passions seraient-elles mauvaises ?

Les passions désignent les sentiments qui nous affectent. Ce qui se traduit par une forme de passivité. Il y a toutefois une autre face du sentiment.

« Souvent la passion nous fait croire certaines choses bien meilleures et plus désirables qu'elles ne le sont ; puis, quand nous avons pris bien de la peine à les acquérir, et perdu cependant l'occasion de posséder d'autres biens plus véritables, la jouissance nous en fait connaître les défauts, et de là viennent les dédains, les regrets et les repentirs. C'est pourquoi le vrai office de la raison est d'examiner la vraie valeur de tous les biens dont l'acquisition semble dépendre en quelque façon de notre conduite. »
Descartes, *Lettres à Élisabeth*.

Passions et désirs

Longtemps, la morale* a dénoncé les passions* humaines, en voyant en celles-ci une forme d'esclavage* provenant d'une trop grande faiblesse à l'égard du corps* et de ses désirs*. Aussi cette même morale a-t-elle prêché la maîtrise du corps et des passions en faisant une véritable guerre à ceux-ci. Aujourd'hui, on ne fustige plus les passions. Au contraire. On aurait presque tendance à les glorifier en voyant, dans le refoulement du corps et de ses désirs, la cause du mal de vivre et de la violence chez certains, le refoulement des désirs provoquant par réaction un défoulement brutal de ceux-ci. Ce qui ne résout pas la question posée par les passions. Car, s'il est vrai que le corps avec ses désirs est le siège de la vie dans son élan pour vivre, et qu'à ce titre brimer le corps revient à brimer la vie même, comment ne pas voir que se laisser aller à son corps ainsi qu'à tous ses désirs ne débouche pas sur la vie, mais sur une dépendance pathologique à l'égard du corps ? Et s'il est vrai, à l'inverse, que vivre passe par le fait de ne pas dépendre du corps et donc par le fait de s'en dégager, comment ne pas voir qu'en devenant l'ennemi de son corps et de ses désirs, on n'en est pas délivré, mais dépendant sous une autre forme ? Comment, dès lors, se penser par rapport au corps si, où que nous tournions la tête, il semble que nous aboutissions à une impasse ? Descartes (1596-1650), au cours du XVIIᵉ siècle, a développé une solution ingénieuse, en indiquant que toutes nos erreurs* proviennent de confusions que nous faisons.

fondements   rappels   questions

Des passions aux sentiments

S'agissant en effet de l'homme et de ses passions, il importe de distinguer l'émotion de la passion*. L'émotion relève de la mécanique des rapports de notre corps avec les autres corps. Quand on agite une corde à un bout, ce mouvement se transmet à l'autre bout. Il en va ainsi pour les émotions. Les corps extérieurs nous agitent de toutes sortes de mouvements que nous transmettent nos sens et nos nerfs. D'où, en nous, des sentiments qui s'agitent et que nous pouvons percevoir, pour peu que, avec calme, nous nous observions un peu. En eux-mêmes, ces mouvements ne sont ni bons ni mauvais. Ils sont. Un point c'est tout. Il y a en nous des mouvements d'attraction et de répulsion. Les uns nous aident à nous protéger. Les autres manifestent notre dynamisme vital. La passion n'est pas une émotion, mais un rapport de la volonté* à l'émotion pouvant prendre deux formes : l'absence de la volonté ou la présence de la volonté.

L'absence de volonté signifie que l'on subit une émotion. On est alors dans la passion au sens négatif et pathologique du terme. La présence de la volonté signifie, au contraire, que l'on fait face à l'émotion. On est alors dans la passion au sens positif du terme, c'est-à-dire dans la liberté. Ainsi, en est-il de cette émotion qu'est la peur : on peut la vivre négativement et déboucher sur la lâcheté ou on peut la vivre positivement et déboucher sur le courage*. Le courage n'abolit pas la peur. Il la transcende. Parce qu'il consiste à donner de l'âme à la vie et au corps. Sans pour autant supprimer la vie et le corps. En ce sens, une passion peut devenir créatrice. Quand elle consiste à se saisir de nos émotions pour les convertir en sentiments. Le sentiment, c'est l'émotion libérée, alors que la passion, c'est l'émotion enchaînée.

> Alors que la passion est une émotion qui nous asservit, le sentiment est une émotion libérée.

Dois-je me sentir coupable parce que je me fais plaisir ?

Si se faire plaisir est une forme de facilité, apporter du plaisir aux autres en les rendant heureux ne l'est pas.

« Ce n'est pas le moi qui est haïssable, mais c'est plutôt le rapport intentionnel du moi à son propre "soi" [...]. Le moi naturel en soi est neutre, mais la naturalité propre qui est un soi pour moi, la naturalité propre qui est objet de la sollicitude d'un ego égoïste et qui est donc objet-sujet, cette naturalité-là n'est nullement innocente [...]. Le plaisir est innocent, mais par contre la complaisance, qui est le plaisir d'éprouver du plaisir et le désir de ce plaisir, et la recherche expressément hédoniste de la volupté, la complaisance n'est pas neutre ! »
Vladimir Jankélévitch,
Le Traité des vertus.

L'obstacle de la complaisance à soi

Il y a une complaisance* à soi-même qui est détestable. C'est ce que nous critiquons, quand nous disons à quelqu'un qu'il se fait plaisir*. Se faire plaisir, dans ce cas précis, apparaît comme péjoratif, car cela revient à vivre d'une façon non seulement égoïste, mais en plus illusoire, en se croyant au meilleur de soi-même, la facilité à l'égard de soi donnant une fausse impression d'aisance. Ce n'est pas parce que l'on cède à la facilité, que l'on est bon. On a tendance à l'oublier. Et là réside l'erreur*. Le plus souvent, jamais on n'est aussi mauvais que quand on se croit bon. Aussi comprend-on les morales* exigeantes. Si celles-ci sont rigoureuses, ce n'est pas pour le plaisir de contraindre, mais pour celui de conduire ceux qu'elles éduquent vers les chemins de la liberté, en leur évitant les pièges de la facilité. Est-ce à dire que tout plaisir est condamnable ? Nullement. D'abord, ce n'est pas parce que l'on élimine le plaisir que l'on est vertueux. Au contraire. L'expérience prouve que qui se déteste finit par détester la vertu*. Car on n'apprend pas la vertu dans le malheur. Si l'homme qui veut devenir vertueux commence par se détester, comment aimera-t-il ce qu'il y a d'humain en chaque homme ? Ne faut-il pas commencer par se réconcilier avec soi, avant de vouloir réconcilier les autres ? Il arrive que l'on ne s'aime pas. Parce que l'on se culpabilise à propos de ceci ou de cela. Ou bien parce que l'on voudrait pouvoir être quelqu'un d'idéal et que l'on n'y parvient pas. Il importe de se libérer de la honte* inutile comme de l'orgueil mal placé et d'être simple en vivant sans

fondements   rappels   questions

honte. En se réconciliant ainsi avec soi-même, on rend service à toute l'humanité. C'est la raison pour laquelle Kant* (1724-1804), pourtant réputé pour sa rigueur, a indiqué qu'il était de notre devoir* d'être heureux. Parce qu'il était rigoureux, justement, Kant a compris qu'il faut aimer l'homme que l'on est si l'on veut pouvoir aimer l'humanité.

Du plaisir à la joie

Il y a une vertu du plaisir comme du bonheur*. Épicure (341-270 av. J.-C.) l'a bien montré: vivre avec plaisir consistant à vivre d'une façon équilibrée, le plaisir nous met en accord avec la nature et, par-delà elle, avec l'être. D'où sa profondeur. Alain (1868-1951) l'a bien montré également. Faire plaisir à autrui étant plus difficile que de faire grise mine et d'être triste*, il y a une vertu du plaisir que l'on offre et un vice* dans le plaisir que l'on n'offre pas. D'où sa valeur morale. Il convient néanmoins d'aller au-delà du plaisir. Le plaisir, en effet, étant la satisfaction d'un manque, il a la vertu de la satisfaction, mais aussi sa limite. Car, combler un manque, qu'est-ce, sinon une forme de bonheur négatif, consistant davantage à mettre fin à une situation de détresse? Et mettre fin à une situation de détresse, qu'est-ce, sinon davantage s'adapter à la nature plutôt que la dépasser? Il faudrait ne plus avoir besoin de mettre fin à la détresse pour être vraiment heureux. Il faudrait donc ne plus avoir besoin d'avoir besoin de plaisir. Il arrive que l'on connaisse un tel état, quand nous sommes heureux de vivre pour vivre. Par pur bonheur de vivre. En laissant passer, à travers nous, la générosité de la vie vivant pour rien, sinon pour vivre. Un tel état consistant à éprouver du plaisir sans avoir besoin de satisfaire un plaisir porte un nom: il s'agit de la joie*. S'il n'y a pas de joie sans plaisir, la joie est plus que le plaisir, le plaisir nous évitant de mourir et la joie nous faisant vivre.

« Par joie, j'entends une passion par laquelle l'âme passe à une perfection plus grande. Par tristesse, une passion par laquelle elle passe à une perfection moindre. J'appelle, en outre, l'affection de la joie rapportée à la fois à l'âme et au corps, chatouillement ou gaieté; celle de la tristesse, douleur ou mélancolie. »
Spinoza, L'Éthique.

Si le plaisir nous permet de satisfaire un besoin, la joie va plus loin en nous faisant vivre.

Pourquoi avoir honte ?

La honte renvoie à une forme de détestation négative de soi. Il n'est pas sûr toutefois qu'elle soit toujours négative.

La fausseté de la honte

La honte* et, à travers elle, le sentiment de culpabilité* n'ont pas bonne presse dans le monde contemporain. Et ce, parce que, effectivement, on peut reprocher à la honte trois choses. D'une façon générale, il faut le dire, la honte et la culpabilité participent de la violence, dont elles sont les expressions dans le langage ainsi que dans la relation sociale. Ainsi, faire honte à quelqu'un, c'est le rabaisser, au point de le nier complètement. Les nazis faisaient honte aux juifs d'exister. Ils en faisaient des coupables nés. Et ce, pour les gommer. Avoir honte de soi, en outre, c'est ne pas s'aimer. C'est se détester en retournant la violence extérieure en une violence contre soi. Généralement, parce que l'on se voit comme voit celui qui déteste. De ce fait, avoir honte peut conduire à de graves perturbations, quand, par exemple, la honte de soi se met à atteindre le corps* et la sexualité. Les êtres en proie à une telle honte se retrouvent tout simplement dans l'incapacité de vivre en s'estimant, ainsi que d'aimer. Ce qui peut entraîner des états d'angoisse voire de dépression profonde. Dès lors, il est normal de penser dans ce contexte que le fait d'avoir honte ne sert à rien. Est-ce toutefois une raison pour éliminer toute forme de honte ?

La vérité du repentir

Vladimir Jankélévitch (1903-1985) a fait remarquer que, à la fin de la guerre, les nazis jugés à Nuremberg

fondements — rappels — questions

n'avaient pas beaucoup exprimé de honte à propos de leurs crimes. On aurait aimé qu'ils vivent ce sentiment. Leur absence de honte, pour la plupart d'entre eux, a rempli le monde d'angoisse et de honte. Les assassins en général n'ont pas honte. Et c'est là que réside le drame. C'est la raison pour laquelle ils ne voient pas leurs crimes. Si, en effet, ils se détestaient dans ce qu'ils font, cela voudrait dire qu'ils sont capables d'aimer. Tant il est vrai que, pour ne pas s'aimer, il faut avoir un certain sens de l'amour*. Comme ils ne se détestent pas, il faut conclure qu'ils ont perdu tout sens de l'amour. Aussi est-on accablé devant tant de dureté et a-t-on honte pour eux. Par amour pour l'amour qu'ils ne savent plus avoir, on se déteste comme hommes. Vladimir Jankélévitch l'a rappelé avec force. Il faut avoir mauvaise conscience*. C'est là l'essence de la morale*. Car qui dit mauvaise conscience dit conscience. Conscience sous la forme du remords* qui est non pas le regret*, qui retourne à ce qui a été, mais le désir de dissoudre ce qui a été. Le regret se souvient. Le remords tente de réparer. Et, par là, il ouvre la porte au repentir*, qui est un désir de se changer comme de changer de vie. À défaut de faire que ce qui a été ne soit plus, on peut faire que celui que l'on a été ne soit plus. Si l'on ne peut changer les choses, on peut changer l'homme qui fait les choses. La mauvaise conscience nous y prépare. En nous faisant revenir sur nous-mêmes et réfléchir. D'où l'existence d'une honte de soi positive, au-delà de la mauvaise conscience. Sous la forme de la pudeur. Le corps et la sexualité, bien qu'extérieurs et matériels, sont les porteurs de la partie la plus personnelle et la plus intime de nous-mêmes. Pourquoi les galvauder en les étalant ? N'est-ce pas intimement qu'il faut communier à l'intime ? On peut cacher son corps et son sexe, non pas parce qu'on en a honte, mais parce qu'on désire conserver à leur beauté un rapport privilégié. Les grandes choses doivent être honorées grandement. Il y a donc une grandeur à savoir s'incliner devant ce qui est grand. Comme il y a une bassesse à ne s'incliner devant rien.

« Le remords, c'est la faute elle-même, la faute non résolue, devenue consciente et, par suite, douloureuse. En sorte que l'on peut dire du remords qu'il est le sujet et l'objet, la conscience du péché comme le pécheur. Le repentir, au contraire, est une solution, comme l'indique le verbe se repentir, qui est une attitude, une certaine façon de se comporter, non point comme douleur passive et stérile, mais comme douleur active et opération de l'âme. »
Vladimir Jankélévitch, *La Mauvaise Conscience.*

La culpabilité participe de la mauvaise conscience qui, à travers le remords, participe d'un retour sur soi d'où jaillit la conscience.

L'enfer est-il vraiment pavé de bonnes intentions ?

Une bonne intention qui ne parvient pas à se concrétiser, est-elle aussi bonne qu'elle en a l'air ? Il faut se poser la question.

Une bonne intention qui n'en est pas une

Tout le monde a entendu dire un jour : « *L'enfer est pavé de bonnes intentions.* » Quelqu'un a décidé de bien faire. Il s'est engagé à bien agir. Ses paroles ne sont pas suivies d'actes. Pire, elles aboutissent au contraire de l'effet attendu. Au lieu de se trouver face à une bonne action, on a affaire à une négligence qui a des conséquences embarrassantes voire franchement négatives. Comment expliquer un tel retournement de situation ? On pourrait supposer qu'il y a là une faiblesse, un manque de sérieux, de la désinvolture, un état velléitaire plus que volontaire. En un mot, qu'il s'agit là d'un manque de caractère dû à une faiblesse de la nature humaine. En réalité, il s'agit là de bien autre chose. Ce n'est pas la fragilité de la nature humaine qu'il faut incriminer, ce qui est une façon fataliste et finalement commode d'excuser les erreurs* commises en mettant tout sur le compte d'une nature donnée au départ, mais bien celui qui est négligent, qui est responsable de sa négligence. Car, soyons clairs, si une bonne intention ne se concrétise pas, c'est qu'elle était non pas une bonne mais une mauvaise intention. On ne voulait pas bien agir, mais pour ne pas se l'avouer et l'avouer aux autres, on a fait semblant de vouloir bien agir. On a donc été doublement fautif. D'un côté en ayant une intention mauvaise. D'un autre côté en masquant hypocritement cette intention mauvaise derrière une apparence de moralité. Résultat, tout en agissant mal, on s'est débrouillé pour apparaître comme quelqu'un de moral, victime d'un funeste concours de circons-

« *Maintes fois nous regrettons nos actions et, souvent, quand nous sommes dominés par des affections contraires, nous voyons le meilleur et faisons le pire. C'est ainsi qu'un petit enfant croit librement appéter [désirer] le lait, un jeune garçon en colère vouloir la vengeance, un peureux la fuite. Un homme en état d'ébriété croit dire par un libre décret de l'âme ce qu'il voudrait avoir tu ; de même le délirant, la bavarde, l'enfant croient parler par un libre décret de l'âme alors qu'ils ne peuvent contenir l'impulsion qu'ils ont à parler.* »
Spinoza, *L'Éthique.*

fondements   rappels   questions

tances. D'où l'aspect infernal et proprement diabolique de cette situation. Car, comment ne pas voir là un stratagème afin d'être gagnant sur tous les tableaux ? Sur celui du vice* comme sur celui de la vertu* ? Et comment ne pas voir, à travers ce stratagème, une façon d'installer le mal* en toute quiétude ?

La bonne volonté, fondement de la morale*

Il existe une mauvaise foi plus qu'une faiblesse de la nature humaine, ainsi que l'a compris Jean-Paul Sartre (1905-1980). Et c'est elle qui est à l'origine du mal. On ne veut pas vraiment le bien*. En revanche, on fait semblant de le vouloir. Et, c'est bien là le problème. Le comprendre, c'est comprendre pourquoi on dit qu'il n'y a que la bonne intention qui compte. Quand on a une bonne intention, c'est qu'on a surmonté toute mauvaise intention. On a donc fait plus que simplement désirer sans s'en donner les moyens. Et quel que soit le résultat, de toute façon, on a déjà gagné. On a agi à l'intérieur de soi, en combattant activement contre l'hypocrisie. On a eu assez de conscience* pour débusquer la mauvaise intention. On a fait l'essentiel du travail moral. Et, voulant ainsi l'absence de mal en soi, on a fait advenir le bien sur la terre. Car, qu'y a-t-il de meilleur qu'un homme de bonne foi, capable de réfléchir sur ses actes et d'élever ainsi sa vie à la hauteur d'une pensée ? On comprend donc que Kant* ait dit que la bonne volonté est ce qu'il peut y avoir de meilleur au monde. Car, pour qu'il y ait du bien sur la terre, ne faut-il pas commencer par bien vouloir le bien ? Oui. Qu'un homme se lève, et des centaines se lèveront autour de lui !

Une bonne volonté n'est pas un désir* superficiel de faire quelque chose, mais une réelle volonté* ayant éliminé en elle toute hypocrisie.

A-t-on raison de ne rien attendre ?

Attendre quelque chose de quelqu'un, c'est souvent se faire bien des illusions. Mais n'est-ce se faire que des illusions ?

« La générosité est une vitalité. Le généreux est l'homme bien né, en grec, gennaios. L'homme bien né donne ce qu'il a et non ce qu'il n'a pas ; or il a beaucoup. Certes, ce qu'il a, il pourrait le garder ou du moins le prêter, l'échanger contre autre chose ; or il le donne sans arrière-pensées machiavéliques et ne réclame rien en échange. Ainsi que l'a dit Paul Claudel dans L'Annonce faite à Marie *: "Cent pour un, l'épi pour une graine et l'arbre pour un pépin. Car telle est la justice de Dieu avec nous, et sa mesure à lui, dont il nous repaye […]. L'amour du Père ne demande point de retour et l'enfant n'a pas besoin qu'il le gagne ou le mérite. »* Vladimir Jankélévitch, *Le Traité des vertus.*

Quand l'attente est illusion

Dans son ouvrage *Le Désert des Tartares*, Dino Buzzati (1906-1972) met en scène des militaires qui, avides de gloire, partent chercher le combat qui fera d'eux des héros. Seulement, au lieu d'aller au-devant de l'ennemi, ils s'enferment dans un fort en attendant de se faire attaquer. Résultat : usés par l'attente, ils tombent malades. Si bien qu'un jour, attaqués par surprise, ils sont vaincus par l'ennemi qu'ils voulaient vaincre, devenus trop faibles pour lui résister.

Il y a des attentes qui sont vaines. Celle-ci en est une. Il y en a d'autres.

On attend souvent des autres ce qu'ils ne peuvent donner. Au bout du compte, on finit par être déçu et par leur en vouloir. Sans se rendre compte que l'on s'est déçu tout seul et fâché pour rien. Il en va de même avec la vie.

On a tendance à attendre qu'une bonne fée vienne tout régler d'un coup de baguette magique, au lieu de compter sur nos propres forces.

Là encore, on finit par être déçu et par se fâcher, en en voulant à l'existence de ne pas répondre à nos attentes.

Aussi est-ce Spinoza (1632-1677) qui a raison.

L'attente n'est pas seulement vaine. Elle est dangereuse, quand elle est cette attitude passive attendant que l'extérieur vienne régler ce qui dépend de nous. Car, comment ne pas voir qu'à force d'espérer quelque chose qui va venir, on finit par craindre que cela n'arrive pas, et qu'à force de craindre que cela n'arrive pas, on finit par espérer que cela arrive ?

L'espoir* a tendance à engendrer sa propre crainte*. La crainte a tendance, à l'inverse, à engendrer son propre espoir. Si bien qu'au bout du compte, l'attente a tendance à se nourrir d'elle-même en suscitant son propre théâtre, créant ainsi à travers une scène imaginaire, une réalité totalement illusoire.

Est-ce à dire que toute attente est condamnable? Non.

Quand l'attente est espérance

Attendre peut vouloir dire être patient. Ne pas vouloir tyranniquement que rien ne nous résiste. Attendre relève alors d'une lutte active contre la violence qui veut tout, tout de suite.

Attendre veut dire aussi faire confiance à la meilleure part de l'autre. On sent que quelqu'un a des qualités profondes, mais qu'il ne sait pas les exprimer.

On attend donc qu'il les exprime en lui faisant confiance. Et, du coup, on agit de même à l'égard de la vie. L'existence n'a pas qu'une face décevante. L'humanité n'est pas faite que d'individus passifs attendant que la chance vole à leur secours.

Le Désert des Tartares

Si l'on n'avait pas la patience de penser que la vie et les hommes ont une autre face, on ne pourrait pas désespérer des illusions de la vie. Pour ne rien attendre de la vie, il faut avoir un grand sens de la vie. C'est ce que signifie le terme d'espérance*.

Loin d'être une attente vaine, celle-ci est la capacité d'aller plus loin. Elle consiste à vivre en disant que la vie est plus forte que la mort. La vie est pleine de ressources.

De ce fait, les hommes peuvent quelque chose pour eux-mêmes. Tout ne se résout pas à l'échec et à la déception.

Ainsi, l'espérance n'est pas la vaine attente. Elle n'attend rien. Et pour cause. Elle vit déjà. Et vivant comme elle le fait, elle nous montre qu'il ne suffit pas d'attendre pour être comblé. Il suffit de vivre.

Attendre est vain quand il s'agit d'attendre passivement une solution miracle. Attendre, en revanche, est créateur, quand il s'agit, avec patience, de démontrer que la vie et l'intelligence sont plus fortes que la bêtise.

Y a-t-il un acte qui ne soit pas désintéressé ?

Il n'y a pas d'acte moral qui ne soit pas intéressé. Mais est-ce aussi égoïste que l'on peut l'imaginer ?

La vertu est amour-propre

Au cours du XVIIe siècle, La Rochefoucauld (1613-1680) a quelque peu déstabilisé les esprits de son temps en bousculant les idées que l'on se fait communément au sujet de la morale*. On imagine, par exemple, que l'homme généreux pratique la générosité parce qu'il est généreux. N'est-ce pas là une illusion ? Ne se glisse-t-il pas parfois un calcul derrière la générosité ? N'arrive-t-il pas que l'on se montre généreux afin de lier l'autre à soi par quelque don ou bien afin de faire étalage de sa vertu* devant les autres, en pratiquant une générosité ostentatoire ? Ainsi que l'a montré La Rochefoucauld avant que Pascal (1623-1662) ne redise la même chose, les hommes sont en proie à l'amour-propre. Aussi ont-ils une idée derrière la tête et cherchent-ils à se faire plaisir* en tout. Si bien que rien n'est gratuit chez eux, tout étant mû par l'amour-propre. Pour glorifier le vice* et fustiger la vertu, Sade (1740-1814) ne s'y prendra pas autrement. La vertu est naïve, soulignera-t-il. Elle ignore la réalité du désir*, de l'amour-propre ainsi que leurs stratégies. Aussi échoue-t-elle toujours. Alors que le vice qui a des arrière-pensées n'ignore rien de la réalité du désir et, de ce fait, prospère. Aussi faut-il être lucide et oser dire que la morale est une contradiction. Voire une production contre nature.

L'amour-propre est vertu

Soyons justes : il y a du vrai dans ce constat implacable. Les hommes sont intéressés. Et il serait naïf de croire qu'ils ne le sont pas. Cela dit, soyons justes jusqu'au bout : est-il sûr que cela soit un vice ? Si l'intérêt* désigne le calcul égoïste qui utilise les vertus les plus nobles de l'humanité, il signifie aussi le plaisir

« Le désintéressement signifie : qui ne s'intéresse pas ; ce qui ne veut point dire simplement qu'on méprise un intérêt ou un avantage ; cela veut dire premièrement qu'on n'y trouve pas de plaisir. Toutes les passions se désintéressent de ce qui n'est pas elles. Le désintérêt est un genre de hauteur ; c'est un refus d'imiter les autres en ce qu'ils sentent ou poursuivent, par exemple un auteur sans vanité se désintéresse trop des éloges qu'on lui fait. Pour juger du désintérêt, il faut se rappeler que la vanité est un commencement de charité. C'est sentir par sympathie, c'est se dresser et éprouver ce qu'on doit aux autres d'éprouver. »*
Alain, Les Dieux.

fondements | rappels | questions

que l'on prend à s'occuper de sujets moraux. Comment ne pas voir que, si la morale ne suscitait aucun intérêt et donc aucun plaisir en nous, celle-ci n'existerait pas ? Le généreux prend plaisir à la générosité. Et alors ? Il y a des plaisirs bien plus coupables. Tant de personnes ont du plaisir à autre chose que la générosité ! En outre, que veut-on ? Que le généreux soit triste* pour avoir le droit d'être généreux ? Kant* (1724-1804) a raison de dire qu'il faut que le sentiment moral soit désintéressé, et qu'il ne se mêle rien en lui venant du calcul individuel. Il a raison, qui plus est, de rajouter, que la vraie moralité ne se sait pas morale. Elle est innocente. Elle ne se dit pas, en étant morale, qu'elle est morale, en se vantant de l'être. Cela dit, pour devenir moral en toute innocence, ne faut-il pas commencer par vouloir devenir moral ? Il est beau de vouloir avoir les mains pures, a dit Hegel (1770-1831), mais encore faut-il avoir des mains ! Pascal, de ce fait, a eu raison de retourner la démarche de La Rochefoucauld, tout en percevant sa justesse. Il y a en effet chez La Rochefoucauld un idéal déçu. Il voudrait que les hommes soient «moralement moraux». Ce qui n'est pas possible. Si, en effet, les hommes éprouvent le besoin de devenir moraux, c'est qu'ils ne le sont pas et qu'ils ont besoin de l'être. Ne leur reprochons pas de ne pas être déjà moraux, dès lors qu'ils s'efforcent de le devenir. Laissons-leur du temps. Il y a chez La Rochefoucauld, Sade et le scepticisme moral beaucoup d'idéalisme. Comme ils attendent trop de la morale et qu'ils ne trouvent pas ce qu'ils en attendent, ils vont chercher dans l'immoralité, cette perfection à l'envers, ce qu'ils ne trouvent pas dans la morale. Il faut le savoir : les immoralistes qui prêchent une vie sans principes sont des paresseux de la morale, qui se donnent une morale sans morale (l'immoralité) pour ne pas avoir à faire un effort moral. Soyons donc simples. Et ne jouons pas avec la morale. Faisons l'effort de devenir moraux, sans nous préoccuper de qui n'est pas moral. À chaque jour suffit sa peine.

VOUS AVEZ MIS UN BOUTON DE CULOTTE !

C'EST UN ACTE DÉSINTÉRESSÉ.

Il n'y a pas de morale sans calcul intéressé. Mais il n'y a pas de morale non plus sans un intérêt pour la morale, qui renvoie à un désir* sans honte* d'avoir du plaisir à pratiquer un effort moral.

La prudence est-elle de la lâcheté ?

La prudence est souvent assimilée à une attitude frileuse. Les moralistes de l'Antiquité, qui en ont fait leur vertu maîtresse, nous démontrent le contraire.

La question de l'excès

Quand on évoque la question de la prudence*, immédiatement ou presque, on pense à une attitude frileuse voire peureuse. Être prudent n'est-ce pas se garder de tout risque ? N'est-ce pas être donc en recul ? Les grands engagements humains se sont toujours faits en prenant des risques. En étant prudent, n'hésite-t-on pas à prendre des risques et à s'engager ? Ainsi, en amour*, que penser d'un amour prudent, sinon qu'il est un amour hésitant à aimer ? Aimer, n'est-ce pas risquer d'aimer en s'engageant dans l'amour ? Tout cela est vrai. Il semble toutefois qu'il y ait une confusion au sujet de l'amour. Tout comme être courageux ne consiste pas à être téméraire, être prudent ne consiste pas à être timoré.

Le risque n'est pas le danger, et il ne faut pas confondre s'engager et s'exposer. C'est ce que la prudence rappelle avec sagesse*. Comment ne pas lui donner raison ? Être prudent, ce n'est pas être trop prudent. Ce qui est un excès. Mais c'est être sage et mesuré dans ce que l'on fait, afin de ne pas prendre de risques inutiles pour soi et, surtout,

fondements   rappels   questions

de ne pas faire courir de risques inutiles à autrui. Les moralistes de l'Antiquité ont beaucoup réfléchi sur la prudence, dont ils ont fait leur vertu* maîtresse. Ils ont en particulier vu dans la prudence la façon que nous pouvons avoir de nous accorder avec l'être même de la nature. Car la nature étant ordonnée et harmonieuse, la nature étant mesurée, comme tout ce qui est harmonieux et ordonné. Aussi être prudent revient-il à s'accorder avec l'être même de la nature. Souvent, on parle trop vite et on le regrette. Si l'on avait été plus mesuré, combien de conflits et de drames inutiles auraient-ils pu être évités ? Au-delà de ce sens de ce qui nous entoure comme de ceux qui nous entourent, la prudence a une troisième vertu : celle d'être la pensée du futur. Il faut prévoir et anticiper, sinon, pris de court par les événements, nous les subissons au lieu de les diriger.

Se préparer aux grandes choses

La prudence semble peu de chose. En fait, elle contient beaucoup. En étant la mesure avec soi, la mesure avec les autres ainsi que la mesure à l'égard de l'avenir, elle est la sagesse même en action. On comprend donc que les Anciens aient recherché en tout le juste milieu.

Ce que nous faisons encore, à chaque fois que nous cherchons la bonne mesure des choses. Ni trop ni trop peu. Pas d'excès donc. Pour que la vie puisse s'écouler vivante et fluide. Mais il y a encore plus dans la prudence. En évitant de céder à l'impulsion immédiate, la prudence permet d'être présent quand il faut l'être. L'homme prudent est donc l'homme qui sait se réserver pour les grandes choses. Il ne vit pas trop vite, il ne parle pas trop vite, pour ne pas gâcher, avant l'heure, le rendez-vous des choses importantes. Vivre, c'est se préparer à vivre. La prudence est cette préparation. C'est donc l'art de la vie même, qui sait maintenir intacte l'attention à la vie même. Il faut se préparer pour les choses précieuses. En cela, l'homme prudent est un homme précieux, car il apprend à vivre précieusement.

> « "La prudence, disait saint Augustin, est un amour qui choisit avec sagacité." » Mais que choisit-il ? Non certes son objet, le désir y pourvoit, mais les moyens de l'atteindre ou de le protéger. Sagacité des mères et des amantes : sagesse de l'amour fou. Elles font ce qu'il faut, comme il faut, du moins ce qu'elles jugent tel (qui dit vertu intellectuelle dit risque d'erreur) ; et de ce souci l'humanité – la leur, la nôtre – est issue. L'amour les guide, la prudence les éclaire. »
> André Comte-Sponville, Petit traité des grandes vertus.

La prudence, qui est un sens de la mesure fuyant l'excès, est aussi l'art de se préparer, pas simplement au futur, mais à la rencontre de la vie même.

Le courage est-il de l'inconscience ?

On dit que les courageux sont un peu inconscients. En un sens, tant mieux !

Les grands sentiments ne se calculent pas

On ne sait pas toujours ce que l'on fait. Et c'est paradoxalement la raison pour laquelle on peut faire un certain nombre de choses. En particulier dans l'ordre des sentiments et de l'amour. L'amour* n'aime pas savoir. Non pas parce que l'amour se nourrit d'illusions et que savoir détruit celles-ci, en montrant que la réalité est souvent moins idéale qu'on ne l'imagine. Mais parce que aimer n'aime pas savoir, au sens de calculer. L'amour en effet aime pour aimer. Ou bien il n'aime pas. Car, mettons-nous à aimer pour telle ou telle raison, déjà on n'aime plus. En aimant pour telle ou telle raison, on cherche à tirer profit de l'autre. Il faut une certaine inconscience* pour aimer. Pour faire preuve de courage* aussi. Et ce, parce que le courage ne calcule pas lui aussi. Quand quelqu'un est dans une maison en feu, il arrive que des sauveteurs héroïques volent à son secours. À une minute près, tout était perdu. Ils ont su réagir à temps. Sans trop réfléchir. S'ils avaient procédé à une analyse détaillée de tous les dangers que contenait leur geste, jamais ils n'auraient agi comme ils ont agi. Et c'est pour cela que cela a marché. La beauté du courage vient de ce que les courageux ne se rendent pas tout à fait compte de ce qu'ils font. C'est la vie qui les a poussés, disent-ils souvent. D'autres auraient fait la même chose, disent-ils encore. Car, selon eux, il ne s'agit là de rien d'autre que de quelque chose de naturel. On ne saurait mieux dire. Est-ce à dire que le courageux n'a aucun mérite dans ce qu'il a fait ? Nullement. Il a un mérite, mais qui n'est pas celui que l'on imagine.

J'AI LE COURAGE

D'AVOUER QUE J'AI PEUR

fondements | rappels | questions

Le courage de la vie

En fait, le courage est l'état normal de la vie. La vie est courageuse, car elle a le courage d'elle-même en ayant la force d'elle-même. D'où son caractère vivant, tonique et vigoureux.

Ce qui n'est pas normal, c'est l'absence de courage dans la vie. C'est donc le fait que la vie soit au-dessous de ce qu'elle devrait être. Le courageux aurait pu ne pas demeurer dans le courage de la vie. Il aurait pu faire défaut à la force qui se trouve en lui. Il ne l'a pas fait. Il n'a pas fui.

Il a fait face. Malgré la peur. Là est sa vertu*. Là est son courage. Le courage est là. En chacun de nous.

À nous de le saisir. On devient courageux en le restant. Et le restant, on parvient à découvrir l'essence de la vie. La vie, en effet, comme l'ont vu les stoïciens*, ces grands maîtres de sagesse* de la Rome antique, se détermine à être vivante. Car elle veut vivre. Aussi est-elle rationnelle et prévoyante et, par là, providentielle, en étant présente en chacun de nous, par exemple.

Chacun est doté de provisions de forces qu'il ignore. Il suffit pour s'en rendre compte de simplement vivre en acceptant de vivre.

Alors, on voit se lever ces provisions de courage et de force, qui font le caractère étonnant de l'humanité. Tous les jours, des hommes et des femmes trouvent partout la force de continuer à vivre, malgré les difficultés de la vie, les épreuves, la souffrance, l'oppression ou l'imminence de la mort.

D'où leur viennent toutes ces forces, sinon de la force de vie qui se trouve en eux? Les stoïciens ont donc raison. La vie a fait provision de courage pour nous et pour tout. Aussi ne nous demande-t-elle pas d'inventer le courage mais de rester courageux en laissant nos forces s'exprimer.

Demeurons dans la vie en vivant courageusement ce que l'on a à vivre ; la vie nous le rendra en nous donnant les forces qu'il faut.

D'où la vertu qu'il y a à vivre pour vivre. Simplement. Avec courage.

« Je ne suis pas sûr que le courage soit la vertu du commencement. Il en faut davantage pour continuer et maintenir. Continuer, c'est recommencer toujours, malgré la fatigue, malgré la peur. La peur paralyse. Le courage en triomphe. Un homme à l'âme forte, lit-on chez Spinoza, s'efforce de bien faire et de se tenir en joie. Confronté aux obstacles qui sont innombrables, cet effort est le courage même. »
André Comte-Sponville,
Petit traité des grandes vertus.

Le courage
est la force même
de la vie
qui s'accroche
à elle-même
et que l'on trouve
en acceptant
simplement
de vivre.

La pitié est-elle du mépris ?

Il semble condescendant d'avoir pitié de quelqu'un. Ce qui est sûr, c'est qu'un monde sans pitié est totalement déshumanisé.

« Telle est la force de la pitié naturelle, que les mœurs les plus dépravées ont encore peine à détruire, puisqu'on voit tous les jours dans nos spectacles s'attendrir et pleurer aux malheurs d'un infortuné tel qui, s'il était à la place d'un tyran, aggraverait encore les tourments de son ennemi. Mandeville a bien senti qu'avec toute leur morale les hommes n'eussent jamais été que des monstres, si la nature ne leur eût donné la pitié à l'appui de la raison. En effet, qu'est-ce que la générosité, la clémence, l'humanité, sinon la pitié appliquée aux faibles, aux coupables, ou à l'espèce humaine en général ? »
Jean-Jacques Rousseau, *Discours sur l'origine et les fondements de l'inégalité parmi les hommes.*

La pitié en question

Quand on dit à quelqu'un qu'on a pitié* de lui, c'est que, généralement, on éprouve peu d'admiration pour lui. Nous nous référons à la pitié pour bien signifier que celui qui nous inspire de la pitié est tellement déchu à nos propres yeux, qu'il est proprement pitoyable. S'il était un adversaire digne, nous entreprendrions de lutter contre lui. Mais, comme nous jugeons qu'il n'est même pas digne d'être traité en adversaire, nous refusons de nous mettre à son niveau. Et, nous lui faisons bien sentir qu'il n'est pas à la hauteur, en l'épargnant d'un combat, dont il va de soi qu'il le perdrait. On comprend donc, dans ce contexte, la révolte que suscite la notion de pitié. Quand on va mal, il n'est pas rare que l'on utilise son ultime énergie à dire dans un sursaut d'orgueil : « *Je n'ai pas besoin de ta pitié.* » On n'aime pas voir dans le regard de l'autre sa propre dégradation. Et l'on ressent comme de la condescendance la façon que l'autre peut avoir d'appuyer sa sollicitude, pour montrer qu'il veut bien faire. Une pitié qui se montre, se montre trop pour être de la pitié. Est-ce toutefois une raison pour bannir toute pitié ? Méfions-nous de passer d'un extrême à l'autre.

Pour un univers impitoyable ?

Les bourreaux, les tortionnaires et les assassins n'ont pas de pitié. Ils sont durs jusqu'au bout. D'une façon implacable. Sans se laisser fléchir par quoi que ce soit. On a donc tort de fustiger la pitié. Durant la dernière guerre, dans les camps de concentration, les nazis n'ont pas eu pitié des enfants qu'ils envoyaient aux fours crématoires. Ne faisons pas le jeu de la cruauté en dénonçant la pitié et réfléchissons. Si l'on n'aime

fondements   rappels   questions

pas la fausse pitié qui s'exprime dans la condescendance ou la sollicitude trop prévenante, n'est-ce pas parce que l'on attend un peu de vraie pitié? Rousseau (1712-1778) a souligné que la pitié est au fondement de l'existence humaine. Car, comme tout ce qui est humain est sensible, nécessairement, tout ce qui est humain est sensible à toute vie. Ou bien, tout ce qui est humain ne l'est pas. Ainsi, il est naturel de se porter au secours de la vie menacée et contre nature de ne pas le faire. Cela permet de comprendre la violence. Nous devrions tous avoir pitié les uns des autres. Et la violence ne devrait pas exister. En réalité, c'est l'inverse qui est, malheureusement, trop souvent le cas. On n'a pas toujours pitié de son semblable. En revanche, la violence apparaît pour certains comme naturelle. D'où la nécessité de penser la pitié. La vie est une. Dans la vie, quelque chose nous lie tous les uns aux autres, pour peu que nous laissions la vie s'exprimer. C'est ce que signifie la pitié qui est un sentiment de compassion spontanée avec tous ceux qui souffrent. De la bonté* jaillit tous les jours du sein de l'humanité. D'où viennent tous ces élans qui honorent celle-ci, sinon de l'unité de la vie? La pitié n'est donc pas une faiblesse. En elle, c'est le mouvement profond de la vie qui s'exprime. On peut comprendre, dès lors, la force du pardon. Certes, il ne faut pas pardonner à tort et à travers, en oubliant un peu facilement les victimes. On ne peut pas pardonner non plus à qui ne demande pas pardon. Il faut donc se méfier d'une pitié dangereuse, comme l'a si bien écrit Stefan Zweig (1881-1942), dans son roman du même nom. Cela dit, pardonner à qui demande pardon, c'est casser le cycle de la violence qui appelle toujours plus de violence. C'est faire grâce face à ce qui ne fait grâce de rien.

> La pitié comme élan spontané des hommes vers ceux qui souffrent est l'expression de l'unité de la vie qui se sent une à travers l'humanité unie.

À quoi faut-il être fidèle ?

En vouant un culte au changement, le monde contemporain s'habitue à être infidèle. Ce qui est dommage. Car il y a une grande vertu dans la fidélité.

JE SUIS FIDÈLE

À MON INCONSTANCE

Le démon du changement

La modernité cultive volontiers le changement en s'efforçant de faire passer celui-ci pour de la sagesse*. Il faut changer, nous dit-on, pour ne pas s'enfermer dans le carcan des habitudes et de la routine. Pour se détacher de ce qui nous lie trop aux êtres, aux choses, aux fonctions acquises, aux conduites socialement reconnues et aux idées installées.

Pour se délivrer de la mesquinerie et de la médiocrité. Comme Don Juan allant de conquête en conquête, afin de renouveler chaque jour la vie tout entière, par une énergie de tous les instants, le héros de la modernité voudrait pouvoir faire de la vie une nouveauté de chaque jour. N'est-il pas dit que seuls les imbéciles ne changent pas d'avis ? On change donc. Beaucoup même. Au point d'avoir parfois plusieurs vies. De devenir multiple. Insaisissable. Et l'on change trop. Sans s'apercevoir que l'on passe d'un enfermement à un autre. Car, comment ne pas voir qu'à force de changer tout le temps, on finit en réalité par ne changer jamais ?

Ainsi, dans la mode, tout est toujours neuf. Sauf une chose, la mode, et le fait à travers elle de vouloir toujours du nouveau. Comment croire dès lors que celui qui change de cette façon est détaché ? Et comment ne pas voir que Don Juan est le moins libre des hommes ? Car trahir toujours comme ce personnage, qu'est-ce sinon se condamner à jouer continuellement le même personnage ? L'infidélité finit par être

fondements   rappels   questions

la punition de l'infidèle, comme la trahison finit par être la punition du traître. Ils voulaient échapper à tout ? Ils échappent effectivement à tout, pour se retrouver seuls. Car qui a envie de faire confiance à un infidèle et à un traître ? Il faut donc reconsidérer le changement et, par là, l'infidélité.

Le vertueux, fidèle parmi les fidèles

Nietzsche (1844-1900) a dit avec profondeur que ce qui fait la force d'un grand sentiment ne vient pas de son intensité mais de sa durée. Il a voulu dire par là que ce qui est beau dans l'amour*, par exemple, vient non pas du fait d'aimer un jour, mais d'être capable d'aimer tous les jours avec la même ferveur. Tomber amoureux, c'est beau, mais c'est facile. Rester amoureux, c'est grand et c'est rare. De même, dans l'amitié*, n'est-il pas beau de se dire que l'on va pouvoir retrouver son ami ou son amie, car ils n'auront pas varié ?

Quelle merveille de pouvoir se dire que l'on va pouvoir retrouver quelqu'un tel qu'on l'a laissé et qu'il aura à notre égard la même amitié, à laquelle on pourra se livrer avec la même confiance ! Et quelle quiétude pour l'âme ! Enfin, dans le courage*, s'il est beau d'être courageux une fois, ne l'est-il pas de l'être toujours ? « *La garde meurt mais ne se rend pas !* » disaient les fidèles de Napoléon. Quand tout le monde déserte, les fidèles parmi les fidèles sont encore là.

Il faut donc être fidèle. Et surtout, savoir le demeurer. Malgré le temps. Malgré les autres. Malgré le poids du conformisme social. Malgré l'adversité, les infidélités, les déceptions. La vie est fidèle à elle-même, car elle veut demeurer toujours la vie. Et c'est pour cela qu'elle est la vie. Il nous faut être de même. L'homme vivant vit dans la fidélité*.

On le quitte, on est sûr de le retrouver. Toujours aussi vivant. Toujours aussi amical. Quand c'est le cas, on peut dire, comme le fait Vladimir Jankélévitch (1903-1985), que la vie est sauvée. Car, face à la fidélité, on peut enfin avoir foi* dans la vie.

« Il est facile d'être fidèle à une vérité victorieuse, car la victoire a beaucoup d'amis ; mais la fidélité essuelée, quand tout le monde doute, quand toutes les apparences sont contre notre espoir, quand la vérité agonise et que le ciel est noir et que nos frères souffrent dans l'exil, quand les brutes piétinent notre patrie et notre idéal, quand la justice semble abandonnée de tous, cette fidélité-là est la vertu hyperbolique et métempirique de la « "onzième heure" », celle qui étant fidélité absolue à l'Absolu ne fait plus qu'un avec la foi. »
Vladimir Jankélévitch, *Le Traité des vertus*.

La fidélité est la capacité de ne pas varier quant à l'essentiel. Sans fidélité, on ne peut rien faire, l'essentiel étant dispersé.

Qu'est-ce qui fait la dignité d'un homme ?

Il existe une fierté mal placée qui peut tourner au ridicule. Est-ce une raison pour conclure que l'humanité serait bien inspirée de renoncer à toute fierté ?

« Ce qui se rapporte
aux besoins
de l'homme a un prix
marchand,
ce qui procure une
satisfaction en faisant
jouer nos facultés a un
prix de sentiment,
ce qui peut faire
que quelque chose
devienne une fin
en soi en ayant une
valeur intrinsèque
n'a pas simplement
un prix, cela
a une dignité. »
Kant, Fondement
de la métaphysique
des mœurs.

La vérité de la fierté

Les hommes peuvent accepter de perdre beaucoup de choses, sauf une : leur dignité*.

Qu'est-ce que la dignité ?

Pour parler de ceux qui occupent de hautes fonctions dans un régime politique, on parle souvent de dignitaires du régime et l'on entend ainsi par dignité un rang dans la hiérarchie sociale que tout le monde reconnaît. Ainsi, être digne se confond avec le fait de représenter quelque chose à l'égard des autres. Par extension, cela renvoie au fait de représenter quelque chose à ses propres yeux. Les hommes ont une fierté. Ils ont besoin de se dire qu'ils sont quelqu'un et non pas rien. S'ils n'avaient pas cette fierté ils perdraient tout. Aussi honorent-ils la fierté mal placée, comme l'amour-propre mal placé, qui peut tourner au ridicule et au tragique. Car, que ne fait-on pas parfois pour défendre sa fierté ? Et surtout, que n'a-t-on pas fait ? On s'est tué pour défendre son honneur blessé. On a tué pour venger un honneur agressé. Aussi comprend-on que le terme d'honneur éveille de l'inquiétude chez certains. Cela dit, il y a dans l'honneur quelque chose qui touche à l'essence de l'être humain.

« Médite tous ces
enseignements
et tous ceux qui
s'y rattachent, médite-
les jour et nuit, à part
toi et aussi
en commun avec
ton semblable.
Si tu le fais, jamais
tu n'éprouveras
le moindre trouble
en songe ou éveillé,
et tu vivras comme
un dieu parmi
les hommes.
Car un homme
qui vit au milieu
des biens impérissables
ne ressemble en rien
à un être mortel. »
Épicure, Lettre à
Ménécée sur la morale.

La grandeur* de la dignité

Les hommes sont des êtres de conscience* et s'accomplissent en tant que tels dans la communauté humaine des consciences. Blessons la conscience d'un homme, faisons qu'il ne représente plus rien à ses propres yeux comme aux yeux d'autrui, nous détruisons l'humanité. Tant il est vrai qu'en ne représentant plus rien, on cesse d'être, la représentation

fondements   rappels   questions

et l'être étant inséparables. L'humanité a besoin de symboliser quelque chose. Ou bien elle perd le sens de sa valeur. C'est la conscience qui fait vivre les hommes en les projetant sur le plan de l'esprit. Vouloir représenter quelque chose en ayant le respect* de sa propre dignité, lutter pour que l'humanité en général puisse représenter quelque chose n'est donc pas vain. C'est au contraire un engagement essentiel. L'homme est l'homme parce qu'il passe l'homme, ainsi que l'a dit Pascal. Et il passe l'homme, parce qu'il est capable de passer sur un autre plan d'existence qui est celui de la liberté et de l'esprit. En s'efforçant donc de se mettre au niveau de ce plan d'existence, l'humanité rencontre son humanité. Et, rencontrant son humanité, elle rencontre ce paradoxe : il y a dans l'homme quelque chose qui est sans prix, parce que cela est non seulement au-delà de tout prix, mais aussi parce que cela donne du prix à tout ce qui a du prix. Ce quelque chose n'est autre que ce plan de l'esprit. Ce plan de l'esprit est le plus précieux, parce que voir les choses avec esprit ennoblit toute chose en l'élevant au lieu de l'abaisser. La vie humaine peut devenir grande dès lors qu'on la voit avec les yeux de la pensée et de l'esprit. Toute la vie morale n'a d'autre sens que de nous faire vivre cette vérité, en nous faisant prendre conscience de nous-mêmes par le fait de nous dire à travers le temps : « *Regarde l'humanité que tu as en toi et vis-la. Car c'est beau et c'est bon.* »

moi c'est moralement que j'ai mes élégances

CHEF CHEF

CA S'ENLÈVE COMMENT, LA DIGNITÉ ?

« *Toute notre dignité consiste donc dans la pensée. C'est de là qu'il nous faut relever et non de l'espace ou de la durée que nous ne saurions remplir. Travaillons à bien penser, voilà le principe de la morale.* »
Pascal, *Pensées.*

L'homme peut tout perdre, sauf le sens de sa dignité. Car il existe dans la mesure où il a conscience qu'il représente quelque chose et pas rien.

Glossaire

Amitié: lien qui se noue entre des égaux ou des alliés par opposition à des ennemis. Vertu* humaine et sociale par excellence, chez Aristote.

Amour: désir* que l'on éprouve pour quelqu'un. Pour son corps* l'amour est alors charnel. Ou pour son être profond l'amour est alors spirituel et philosophique.

Appétit: l'appétit est un désir* physique. À ce titre, il n'est pas à proprement parler un désir, mais un besoin.

Béatitude: chez Spinoza, la béatitude est l'état le plus élevé que l'on puisse éprouver. On est dans la béatitude quand on peut expérimenter que l'on est éternel. On est éternel, quand on voit la réalité sous le regard de l'éternité. La béatitude est liée à la joie* de connaître et de comprendre. Toute illumination intellectuelle plonge celui qui l'expérimente dans un état de béatitude.

Bien: le Bien est, pour Kant, l'unité de la vie de la nature et de l'esprit. C'est la vie pleinement conforme à elle-même. À ce titre, c'est la vie pleinement pensante, car pleinement pensée.

Bonheur: le bonheur est la rencontre heureuse entre le désir* et le temps de la vie, qui crée un état d'harmonie qui comble celui qui le vit.

Bonté: que l'homme soit capable de porter secours spontanément à celui qui souffre est le signe de la bonté et de l'unité de l'humanité.

Charité: l'une des grandes vertus* de la religion chrétienne. Plus que faire l'aumône, la charité consiste dans le contraire de la violence. On est dans l'esprit de la charité quand on a conscience* que la vie humaine s'ouvre sur autre chose que sur la violence et que l'on pratique cette vie.

Choix: choisir, c'est être responsable en choisissant de choisir au lieu que ce soient les événements qui choisissent pour nous.

Complaisance: la complaisance est le plaisir* de se faire plaisir. Elle correspond à ce que les théologiens appellent la concupiscence, qui est une quête du plaisir pour le plaisir, qui, en isolant le plaisir pour lui-même, en font une idole.

Conscience: la conscience morale est l'expression même de la morale*. Les hommes peuvent avoir conscience de leurs actes et juger ceux-ci. La conscience morale refuse la bonne conscience qui ne se sent coupable de rien. Elle a au contraire mauvaise conscience, en revenant sur ce qu'elle fait, afin de le juger.

Corps: le corps est le support de l'âme. Il permet à l'âme de s'incarner et d'être ainsi vivante. Il a donc une portée morale, que Descartes a mise en valeur dans le *Traité des passions*.

Courage: le courage est la force de résister à la peur mais aussi à l'adversité et au découragement. C'est la force même de la vie. Quand il n'y a plus de raison de vivre, le courage consiste à vivre quand même.

Crainte: la crainte est, dans la religion, la conscience* que l'homme peut avoir de l'immensité de Dieu.

Négativement, chez Spinoza, la crainte est la peur qu'un événement attendu n'arrive pas. C'est une peur née d'un espoir* et d'une illusion.

Culpabilité: se sentir coupable est l'expression par excellence du sentiment moral, puisque cela permet de revenir sur ses actes, de les juger et, ainsi, de devenir moral.

La culpabilité est mauvaise, quand elle ne repose sur rien et qu'elle est une culpabilité imaginaire. La psychanalyse parle alors de culpabilité maladive.

Décision: la décision est à la base de la vie morale. On décide quand on se décide à faire usage de sa volonté* et de son intériorité, afin de devenir moral. Toute vie morale doit aboutir à la décision.

Désintéressement: l'homme désintéressé est celui qui ne nourrit aucun calcul et aucune arrière-pensée dans ce qu'il fait. Il ne cherche pas à être moral par intérêt.

fondements | rappels | questions

Désir: il y a les morales* du désir. Il y a les morales de la volonté*. La morale du désir part de la nature et de son élan pour vivre. Elle cherche à vivre conformément à la nature et à cet élan de vie. La morale de la volonté, au contraire, part de ce qui doit être. Elle impose et commande en fonction d'un idéal.

Devoir: faire son devoir, c'est faire ce que la loi morale* commande de faire. La raison découvre la loi morale quand elle découvre qu'elle ne peut agir n'importe comment. Il lui faut une règle que tout le monde puisse suivre. Faire son devoir, c'est suivre cette règle.

Dignité: la dignité n'a pas de prix, dit Kant*, elle est sans prix. L'homme est dans la dignité, quand il confère à l'humanité une valeur intrinsèque au lieu de se servir de l'humanité comme d'un moyen.

Épicurisme: Épicure a élaboré une morale* du bonheur* fondée sur la conformité avec la nature. Vivre sobrement, sans rien faire qui puisse nuire à son corps*, c'est être sûr de vivre heureux. Le plaisir* médité exprimant l'harmonie de l'homme avec la nature doit être le guide le plus sûr de notre vie.

Erreur: l'erreur n'est pas la faute*. Si la faute est transgression d'une loi, l'erreur est errance en vertu d'une ignorance.

Esclavage: l'esclavage désigne l'asservissement de l'esprit à un certain nombre de désirs* qui le tyrannisent et l'obsèdent. C'est un état intérieur et pas seulement la condition de ceux qui sont traités comme de simples instruments par d'autres hommes.

Espérance: c'est une autre vertu* de la religion chrétienne, à côté de la charité*. L'espérance n'est pas l'attente d'une issue heureuse, concernant un événement. Elle va plus loin. On est dans l'espérance quand on a foi* dans la vie même et que l'on vit malgré tout, parce que l'on pense que la vie vaut mieux que tout y compris la mort. Si l'espoir* se fonde sur une attente, l'espérance se fonde sur la vie.

Espoir: l'espoir est l'attente d'une issue heureuse concernant notre vie. Souvent l'espoir est vain, car il est naïf ou illusoire. C'est pour cela qu'il est critiquable.

Éthique: l'éthique est une réflexion sur le comportement qu'il faut avoir dans la vie. En se fondant sur la connaissance de la nature, l'éthique vise à parvenir au bonheur*.

Faute: la faute est la transgression souvent délibérée d'une loi et, en particulier, d'une loi morale*.

Fidélité: la fidélité est une vertu* qui consiste à ne pas varier son engagement à l'égard de certains principes ou de certains liens d'amitié* ou d'amour*, malgré l'adversité.

Fin en soi: ce qui a une valeur intrinsèque est une fin en soi, par opposition à ce qui peut être utilisé comme un instrument ou un moyen.

Foi: la foi est la première des grandes vertus* théologales à côté de la charité* et de l'espérance*. Avoir la foi, c'est adhérer. C'est faire confiance. C'est se donner tout entier à une cause ou à une idée, en vivant pour cette idée, au point de la défendre et de lui rester attaché dans l'adversité. La foi ne se démontre pas, puisqu'elle démontre. Sans foi, on ne peut rien faire.

Grandeur: chez Pascal, la grandeur désigne non pas une quantité mais une qualité. C'est la qualité de ce qui est divin et infini. L'homme accède à la grandeur quand il s'abaisse devant Dieu au lieu de s'enorgueillir. Il faut être grand pour s'abaisser ainsi.

Honte: la honte réside dans le fait de se sentir coupable et de ne pas aimer celui que nous sommes quand nous faisons une faute*.

Impératif: l'impératif est ce qui commande. Kant distingue les impératifs techniques (si tu veux faire ceci, fais cela) des impératifs catégoriques (il faut faire ceci parce qu'il faut le faire). L'impératif catégorique ne se discute pas. Il est absolu. Car il vient de l'absolu et nous conduit à l'absolu, quand on y obéit. Le respect* est un impératif catégorique. Il faut respecter pour respecter. Car le respect a une valeur en soi.

Inconscience: l'inconscience désigne l'irresponsabilité et l'aveuglement nés

Glossaire (suite)

d'une attitude infantile ou passionnelle. Elle désigne aussi un état d'insouciance.

Intention: l'intention est le fondement de la morale*. Elle désigne l'état de la volonté*. Ce que la volonté veut. La bonne intention veut vraiment. La mauvaise intention fait semblant de vouloir.

Intérêt: l'intérêt désigne le calcul, l'arrière-pensée. Mais il désigne aussi le désir*, l'attrait pour quelque chose qui fait que l'on s'y attache et qu'on y fait attention.

Joie: la joie n'est pas le plaisir*. Elle est plus que le plaisir. Car, alors que le plaisir cherche la satisfaction d'un besoin, la joie trouve du plaisir dans le simple fait de vivre, indépendamment de toute satisfaction.

Jugement: juger consiste à trancher en rapportant un événement particulier à une loi. Pour juger, il faut de la volonté*, puisqu'il faut savoir trancher. Mais il faut aussi de l'intelligence et de la réflexion, afin de savoir estimer et apprécier les choses.

Kant: *voir* Kantisme.

Kantisme: Le kantisme désigne la morale* de Kant. Morale du devoir* et de la rigueur, qui a beaucoup inspiré le XIXe siècle et, en particulier, la IIIe République.

Loi morale: la loi morale est un commandement absolu qui nous commande de faire une chose parce qu'il faut la faire. La loi morale, que rien ne fonde, fonde tout. Sans loi morale*, plus de morale. Il faut qu'il y ait du «il faut», que rien ne fonde sinon le «il faut», pour qu'il y ait de la morale.

Mal: si le bien* est la vie pensante, le mal réside dans l'absence d'une telle vie. Le mal n'est pas une chose. Il n'est pas un instinct. Mais un rapport. En l'occurrence, une absence de rapport. Un refus de tout rapport. Ce qui conduit à une attitude disproportionnée, excessive.

Misère: la misère de l'homme consiste à ne pas se savoir misérable, disait Pascal. Le misérable est un pauvre en esprit. Il n'a pas conscience* de sa pauvreté d'esprit, parce qu'il se croit plein d'esprit. Il est pauvre en morale*, parce qu'il se croit plein de morale.

Morale: la morale réside dans l'étude des commandements qui s'imposent à l'homme. Née de la volonté*, elle a pour but le vertu* et y parvient par l'obéissance au devoir* qu'elle a préalablement déterminé.

Mystique: le mystique est celui qui a le sens du mystère et donc du silence, mystère voulant dire silence. Le mystère est ce qui naît du silence, autrement dit un enseignement qui n'est pas dit. Soit un enseignement autre né de Dieu, par exemple. Chez Bergson, le mystique est le plus haut état de la vie morale, car il aime l'humanité par amour* et non pas par devoir*.

Nihilisme: le nihilisme nie toute espèce de valeur, hormis celle de l'individu et de sa liberté.

Chez Nietzsche, le nihilisme ne réside pas dans le refus des valeurs mais dans des valeurs idéales qui nous éloignent de la vie.

Obligation: l'obligation est proche du devoir*. L'humanité se sent obligée, contrainte par une nécessité supérieure. C'est cette contrainte supérieure qui la fait aller au-delà de son égoïsme et, ainsi, devenir humaine.

Passion: la passion désigne l'aveuglement au sens péjoratif. Elle est un état passionnel voire pathologique.

Au sens positif, la passion désigne un état d'enthousiasme. Elle désigne un état du désir*.

Passions: les passions désignent la multiplicité des désirs* et des affects que l'on subit. Au sens positif, les passions renvoient chez Descartes aux sentiments qui véhiculent des messages venus de l'extérieur.

Péché: le péché est, comme la faute*, la transgression d'une loi. À ceci près que pécher, c'est véritablement désirer transgresser et chuter.

fondements | rappels | questions

Personne: la personne est ce qui a une valeur intrinsèque, comme la fin en soi*, par opposition à ce qui sert comme moyen et comme instrument. L'homme a une valeur intrinsèque. C'est là le fait étonnant de l'humanité.

Pitié: la pitié est un sentiment de compassion pour ceux qui souffrent. Elle provient de la solidarité spontanée qui unit les hommes aux autres hommes.

Plaisir: le plaisir est la satisfaction née du comblement d'un manque.

Prochain: le prochain désigne mon semblable qui a besoin de moi.

Prudence: la sagesse* même pour les Anciens. La prudence est le sens de la mesure face à l'excès. Elle est le sens de la prévoyance face à l'avenir.

Punition: si la vengeance désire éliminer celui qui a commis une faute*, la punition veut que celui qui a fait une faute répare, en payant de sa personne*.

Regret: le regret est un désir* de revenir en arrière. De ramener quelque chose de passé.

Remords: le remords est le désir* d'effacer le passé et de faire qu'il ne soit plus.

Repentir: Le repentir est le désir* de vivre une vie neuve, lavée de toute faute* et de tout péché*.

Respect: le respect désigne un sentiment de crainte* et d'admiration. Il désigne une façon que l'on peut avoir de se limiter face à l'autre. Pour Kant*, le respect est l'état même de la morale*.

Responsabilité: être responsable, c'est répondre de soi et d'autrui. C'est assumer ses actes en s'en déclarant l'auteur. C'est prendre la place de l'autre, se substituer à lui, comme si c'était nous, afin de l'aider.

Sagesse: la sagesse consiste à réfléchir sur le sens de ce que l'on fait et à dépasser ainsi tout excès.

Sanction: la sanction, est, au sens littéral, ce qui sanctifie. Donc, c'est ce qui est conforme à la sainteté. Quand quelque chose est sain et saint, la sanction est positive. Quand ce n'est pas le cas, elle est négative.

Servitude: la servitude désigne l'état intérieur de celui qui subit sa vie au lieu de la diriger, faute de connaître ce qu'il est et ce qu'il peut faire.

Stoïcisme: le stoïcisme est une morale* de l'acceptation de la providence des dieux. Si l'épicurisme* se fonde sur un accord immanent avec la nature, il y a dans le stoïcisme un accord avec les dieux impliquant un dépassement volontaire de soi.

Tristesse: pour Spinoza, la tristesse est l'état le moins moral qui soit. C'est un refus de vivre, une régression dans la vie. Un abaissement de soi-même.

Tyran: le tyran est pour Platon l'homme violent, excessif voire délirant, qui sommeille dans les passions* humaines. Il veut se faire dieu. C'est lui qu'il faut assagir.

Utilité: être utile, c'est servir à. Devenir le moyen de. Le fait de devenir librement l'instrument d'une action nous fait déboucher sur la vertu*.

Vertu: la vertu signifie la qualité d'une chose. Par extension, la vertu désigne le fait de faire de soi-même un être de qualité en se conformant à un certain nombre de qualités fondamentales définies comme étant les qualités mêmes de l'absolu.

Vice: si la vertu appelle la vertu* en définissant un cercle vertueux, le vice appelle le vice en définissant un cercle vicieux. Le vice désigne donc, non pas simplement un refus de faire vivre la qualité et, par là, un défaut. Il désigne surtout un défaut systématique, auquel on prend plaisir* et que l'on fait exprès de faire, parce que celui-ci est devenu une deuxième nature.

Visage: terme central chez Lévinas, pour désigner ce qu'il y a d'humain par excellence en chaque homme. L'homme a une forme. Il n'est pas informe. Il a une différence. Il n'est pas indifférent. Ce qui permet à l'homme de prendre forme et de surgir ainsi hors de l'indifférence, c'est ce qu'on appelle le visage.

Volonté: la volonté est la faculté de vouloir, c'est-à-dire de commander, d'exiger. Si le désir* est conformité à la vie, la volonté est lutte dans la vie pour se dépasser.

Bibliographie

ALAIN, *Les Passions et la Sagesse*, « La Pléiade », Gallimard, 1986.
Alain est un maître. Il enseigne et l'on apprend comme il faut apprendre.

ARISTOTE, *Éthique à Nicomaque*, Garnier-Flammarion, 1965.
Toute la sagesse antique du juste milieu se trouve développée dans ce maître livre d'un sage parmi les sages.

BERGSON (Henri), *Les Deux Sources de la morale et de la religion*, PUF, 1984.
Pour comprendre pourquoi la morale est liée avec la vie. Et donc pourquoi, à travers l'homme, elle est plus qu'un phénomène humain.

BORNE (Étienne), *Le Problème du mal*, PUF, 1973.
Un ouvrage bref. Dense. Étincelant. Non seulement il répond, mais il éclaire.

BUBER (Martin), *Le Je et le Tu*, Aubier, 1981.
Pour comprendre pourquoi la relation à l'autre est fondatrice de la morale, de l'humanité, de la vie.

CHALIER (Catherine), *Lévinas. L'utopie de l'humain*, Albin Michel, 1993.
Par l'une des meilleures interprètes de la pensée de l'un des plus grands penseurs de la morale. Essentiel pour comprendre ce qu'être humain veut dire.

OLIVIER (Clément), *Le Visage intérieur*, Stock, 1978.
Par l'un des plus grands théologiens orthodoxes, l'approche de ce que veut dire la morale chrétienne, souvent si mal comprise. Essentiel.

COMTE-SPONVILLE (André), *Petit traité des grandes vertus*, PUF, 1995.
Un retour aux vertus. Non seulement brillant. Profond. Indispensable.

DESCARTES (René), *Lettres à Élisabeth*, Garnier-Flammarion, 1989.
Une leçon de liberté. À lire et à relire.

ÉPICURE, *Lettres*. Paris, Nathan, 1982.
Il faut lire Épicure. On en ressort plus vivant. Vingt-trois siècles après, pas une ride !

JANKÉLÉVITCH (Vladimir), *La Mauvaise Conscience*, Aubier, 1966.
On rejette la mauvaise conscience. On a tort. Cet ouvrage profond, brillantissime, explique pourquoi.

JANKÉLÉVITCH (Vladimir), *Le Sérieux de l'intention*, Flammarion, 1983.
Pas de morale sans intention morale. Ce livre passionnant explique pourquoi. Capital.

JANKÉLÉVITCH (Vladimir), *Les Vertus et l'Amour*, Flammarion, 1986.
Pour tout comprendre de l'amour, mais aussi du courage, de la fidélité ou de la modestie. Captivant.

JANKÉLÉVITCH (Vladimir), *L'Innocence et la Méchanceté*, Flammarion, 1986.
Avec cet ouvrage s'achève *Le Traité des vertus* qui comporte le livre sur *Le sérieux de l'intention* ainsi que celui sur *Les Vertus et l'Amour*. C'est tout simplement une somme, qui éclaire philosophiquement ce que l'on croit savoir et que l'on ne sait pas.

KANT (Emmanuel), *Fondement de la métaphysique des mœurs*, Delagrave, 1967.
Sans Kant, la morale n'aurait pas été ce qu'elle est devenue. Il y a avant Kant et après Kant.

LÉVINAS (Emmanuel), *Totalité et infini*, Nijhof, La Haye, 1974.
Et si au commencement était la morale et non la matière, parce que tout part de la personne ? C'est l'idée fondamentale développée par Levinas, l'un des grands.

fondements   rappels   questions

MARC AURÈLE, *Pensées pour moi-même*, suivi du *Manuel d'Épictète*, Garnier-Flammarion, 1964.
Ce que la sagesse veut dire, les stoïciens l'ont dit une fois pour toutes. La sagesse. La vraie.

MONTAIGNE, *Essais*, « La Pléiade », Gallimard.
Un livre de vie. Vivre avec Montaigne, c'est vivre et bien vivre.

NIETZSCHE (Friedrich), *La Généalogie de la morale*, Gallimard, 1973.
Nietzsche décape la morale. Et il n'y a pas plus moral. Fondamental. À lire et à relire.

PASCAL, *Pensées*, Le Seuil, 1962.
Travaillons à bien penser, voilà l'essence de la morale, écrit Pascal. Il ne faut pas simplement lire Pascal, il faut vivre avec.

PLATON, *La République*, Garnier-Flammarion, 1966.
Dans les trois premiers livres de *La République*, Platon expose toute sa morale. Il montre pourquoi il faut s'élever. Et depuis, on fait comme lui. On cherche à s'élever avec lui.

ROSENZWEIG (Franz), *L'Étoile de la rédemption*, Le Seuil, 1962.
Ce livre écrit par l'un des plus grands penseurs du judaïsme nous montre les racines métaphysiques de la morale. D'une profondeur inégalée.

ROUSSEAU (Jean-Jacques), *Profession de foi du vicaire savoyard*, Garnier-Flammarion, 1996.
Ce texte, extrait de l'*Émile* contient toute la morale de Rousseau. Pour comprendre ce qu'est le sentiment moral et pourquoi il mène à la conscience, instinct divin !

SPINOZA, *L'Éthique*, Garnier-Flammarion, 1965.
Si on lisait vraiment Spinoza, on parviendrait à la béatitude.

On pourra consulter les petits ouvrages publiés chez Quintette. Fort bien faits, beaucoup d'entre eux traitent de grands thèmes moraux et peuvent constituer une utile introduction à la morale.
Enfin, on ne saurait achever ce bref tour d'horizon sans mentionner la Bible, les Évangiles, le Coran, les paroles du Bouddha ainsi que le Tao-tö-king de Lao-Tseu.

Index *Le numéro de renvoi correspond à la double page.*

Responsable éditorial
Bernard Garaude
Directeur de collection – Édition
Dominique Auzel
Secrétariat d'édition
Véronique Sucère, Anne Vila
Correction – révision
Didier Mounié
Iconographie
Sandrine Batlle,
Anne-Sophie Hedan
Illustration
Jean-Claude Pertuzé
Conception graphique – Couverture
Bruno Douin
Maquette
Linda Boissard-Exegraph
Fabrication
Isabelle Gaudon
Sandrine Sauber-Bigot
Flashage
Exegraph

*Les erreurs ou omissions
involontaires qui auraient pu
subsister dans cet ouvrage malgré
les soins et les contrôles de l'équipe
de rédaction ne sauraient engager
la responsabilité de l'éditeur.*

© 1999 Éditions MILAN
300, rue Léon-Joulin,
31101 Toulouse Cedex 1 France
Droits de traduction et de
reproduction réservés pour
tous les pays. Toute reproduction,
même partielle, de cet ouvrage
est interdite.
Une copie ou reproduction
par quelque procédé que ce soit,
photographie, microfilm,
bande magnétique, disque ou
autre, constitue une contrefaçon
passible des peines prévues par
la loi du 11 mars 1957 sur la
protection des droits d'auteur.
Loi 49.956 du 16.07.1949

Aubin Imprimeur, 86240 Ligugé. — D. L. : 1er trimestre 2004 — Imprimé en France